ein Ullstein Buch

Science Fiction
Lektorat: Ronald M. Hahn
Ullstein Buch Nr. 31070
im Verlag Ullstein GmbH,
Frankfurt/M – Berlin
Titel der Originalausgabe:
THE HITCHHIKER'S GUIDE
TO THE GALAXY
Aus dem Englischen übersetzt
von Benjamin Schwarz

Umschlagentwurf:
Hansbernd Lindemann
Umschlagillustration:
Vincent Difate
Alle Rechte vorbehalten
Taschenbuchausgabe mit Genehmigung
des Verlags Rogner & Bernhard
Copyright © 1979 by Douglas Adams
Copyright © 1981 by Rogner &
Bernhard GmbH & Co. Verlags KG,
München
Printed in Germany 1988
Druck und Verarbeitung:
Ebner Ulm
ISBN 3 548 31070 2

Dezember 1988
158.–197. Tsd.

Vom selben Autor
in der Reihe der
Ullstein Bücher:

Das Restaurant am Ende
des Universums (31110)
Das Leben, das Universum
und der ganze Rest (31136)
Macht's gut, und
danke für den Fisch (31172)

CIP-Titelaufnahme
der Deutschen Bibliothek

Adams, Douglas:
Per Anhalter durch die Galaxis: Roman /
Douglas Adams [Aus d. Engl. übers. von
Benjamin Schwarz] – 158.–197. Tsd. –
Frankfurt/M; Berlin: Ullstein, 1988
    (Ullstein-Buch; Nr. 31070:
    Science-fiction)
    Einheitssacht.: The hitchhiker's guide to
    the galaxy < dt. >
    ISBN 3-548-31070-2
NE: GT

Douglas Adams

Per Anhalter durch die Galaxis

Roman

ein Ullstein Buch

*Für Jonny Brock und Clare Gorst
und alle anderen in Arlington
als Dank für Tee, Mitgefühl und Sofas*

Weit draußen in den unerforschten Einöden eines total aus der Mode gekommenen Ausläufers des westlichen Spiralarms der Galaxis leuchtet unbeachtet eine kleine gelbe Sonne. Um sie kreist in einer Entfernung von ungefähr achtundneunzig Millionen Meilen ein absolut unbedeutender, kleiner blaugrüner Planet, dessen vom Affen stammende Bioformen so erstaunlich primitiv sind, daß sie Digitaluhren noch immer für eine unwahrscheinlich tolle Erfindung halten.

Dieser Planet hat – oder besser gesagt, hatte – ein Problem: die meisten seiner Bewohner waren fast immer unglücklich. Zur Lösung dieses Problems wurden viele Vorschläge gemacht, aber die drehten sich meistens um das Hin und Her kleiner bedruckter Papierscheinchen, und das ist einfach drollig, weil es im großen und ganzen ja nicht die kleinen bedruckten Papierscheinchen waren, die sich unglücklich fühlten.

Und so blieb das Problem bestehen. Vielen Leuten ging es schlecht, den meisten sogar miserabel, selbst denen mit Digitaluhren.

Viele kamen allmählich zu der Überzeugung, einen großen Fehler gemacht zu haben, als sie von den Bäumen heruntergekommen waren. Und einige sagten, schon die Bäume seien ein Holzweg gewesen, die Ozeane hätte man niemals verlassen dürfen.

Und eines Donnerstags dann, fast zweitausend Jahre, nachdem ein Mann an einen Baumstamm genagelt worden war, weil er gesagt hatte, wie phantastisch er sich das vorstelle, wenn die Leute zur Abwechslung mal nett zueinander wären, kam ein Mädchen, das ganz allein in einem kleinen Café in Rickmansworth saß, plötzlich auf den Trichter, was die ganze Zeit so schiefgelaufen war, und sie wußte endlich, wie die Welt gut und glücklich werden könnte. Diesmal hatte sie sich nicht getäuscht, es würde funktionieren, und niemand würde dafür an irgendwas genagelt werden.

Nur brach traurigerweise, ehe sie ans Telefon gehen und jemandem davon erzählen konnte, eine furchtbar dumme Katastrophe herein, und ihre Idee ging für immer verloren.

Das hier ist nicht die Geschichte dieses Mädchens.

Es ist die Geschichte dieser furchtbar dummen Katastrophe und einiger ihrer Folgen.

Außerdem ist es die Geschichte eines Buches, eines Reiseführers mit dem Titel Per Anhalter durch die Galaxis –, keines Erdenbuches: es wurde nie auf der Erde veröffentlicht, und bis die schreckliche Katastrophe eintrat, hat auch kein Erdenmensch je etwas davon gehört oder gesehen.

Trotzdem ein äußerst bemerkenswertes Buch.

Wahrscheinlich das bemerkenswerteste Buch, das die großen Verlage von Ursa Minor je herausbrachten – von denen ebenfalls kein Erdenmensch je etwas gehört hat.

Und dieses Buch ist nicht nur außerordentlich bemerkenswert, es ist auch außerordentlich erfolgreich – populärer als Der Himmlische Heimschützer-Almanach, es verkauft sich besser als Dreiundfünfzig neue Sachen, die man bei Schwerelosigkeit machen kann und ist streitlustiger als Oolon Coluphids drei philosophische Bombenerfolge, Wo Gott sich irrte, Noch ein paar von Gottes größten Fehlern und Wer ist denn dieser Gott überhaupt?

In vielen der etwas lässigeren Zivilisationen am äußersten Ostrand der Galaxis hat der Reiseführer Per Anhalter durch die Galaxis die große Encyclopaedia Galactica als Standard-Nachschlagewerk für alle Kenntnisse und Weisheiten inzwischen längst abgelöst. Denn obwohl er viele Lücken hat und viele Dinge enthält, die sehr zweifelhaft oder zumindest wahnsinnig ungenau sind, ist er dem älteren und viel langatmigeren Werk in zweierlei Hinsicht überlegen.

Erstens ist er ein bißchen billiger, und zweitens stehen auf seinem Umschlag in großen, freundlichen Buchstaben die Worte KEINE PANIK.

Doch die Geschichte dieses furchtbar dummen Donnerstags, die Geschichte seiner außerordentlich bemerkenswerten Folgen und die Geschichte darüber, wie unentwirrbar diese Folgen mit jenem außerordentlich bemerkenswerten Reiseführer verknüpft sind, beginnt ganz einfach.

Sie beginnt mit einem Haus.

Das Haus stand auf einer kleinen Anhöhe genau am Rand des Ortes. Es stand alleine da und überblickte das weite Ackerland im Westen. Absolut kein bemerkenswertes Haus – es war ungefähr dreißig Jahre alt, plump, viereckig, aus Ziegelsteinen erbaut und hatte vier Fenster an der Vorderseite, der es nach Größe und Proportion mehr oder weniger mißlang, das Auge zu erfreuen.

Der einzige Mensch, der das Haus in jeder Hinsicht bemerkenswert fand, war Arthur Dent, und das auch nur, weil er zufällig darin wohnte. Er wohnte schon seit ungefähr drei Jahren hier, nachdem er von London weggezogen war, weil die Stadt ihn nervös und reizbar gemacht hatte. Auch er war ungefähr dreißig Jahre alt, groß, dunkelhaarig und nie ganz mit sich im reinen. Was ihn am meisten verdroß, war die Tatsache, daß er ständig gefragt wurde, warum er so verdrossen gucke. Er arbeitete beim Rundfunk, bei dem es, wie er seinen Freunden stets zu sagen pflegte, viel interessanter zuginge, als sie vermutlich dächten. Und so war das auch – die meisten seiner Freunde arbeiteten in der Werbung.

Mittwochnacht hatte es sehr stark geregnet, und der Weg zum Haus war naß und matschig, aber die Donnerstagmorgensonne schien hell und klar auf Arthur Dents Haus – zum letzten Mal, wie sich bald herausstellte.

Es war Arthur immer noch nicht richtig klar, daß die Gemeindeverwaltung es abreißen und an dieser Stelle eine Umgehungsstraße bauen lassen wollte.

Donnerstagmorgen um acht fühlte Arthur Dent sich nicht sehr gut. Er wachte benommen auf, schlurfte benommen in seinem Zimmer herum, machte ein Fenster auf, sah einen Bulldozer, fand seine Pantoffeln und schlurfte ins Badezimmer.

Zahnpasta auf die Zahnbürste – so. Bürsten.

Rasierspiegel – zur Zimmerdecke gedreht. Er stellte ihn richtig ein. Einen Augenblick lang spiegelte er durchs Badezimmerfenster einen zweiten Bulldozer wider. Richtig eingestellt spiegelte er Arthur Dents Bartstoppeln wider. Arthur rasierte sie weg, wusch sich, trocknete sich ab und schlurfte in die Küche, wo er was Schönes zu finden hoffte, das er sich in den Mund schieben könnte.

Teekessel, Stecker, Kühlschrank, Milch, Kaffee. Gääääähnen.

Einen Augenblick ging ihm das Wort *Bulldozer* im Kopf herum, es suchte nach einer Gedankenverbindung.

Der Bulldozer vor dem Küchenfenster war ganz schön groß.

Er starrte ihn an.

»Gelb«, dachte er und schlurfte wieder in sein Schlafzimmer, um sich anzuziehen.

Als er am Badezimmer vorbeikam, blieb er stehen und trank ein großes Glas Wasser, dann noch eins. Es kam ihm der Verdacht, daß er einen Kater hatte. Warum hatte er einen Kater? Hatte er sich letzte Nacht betrunken? Er hatte den Verdacht, daß er das wohl getan haben mußte. Er erspähte ein Schimmern im Rasierspiegel. »Gelb«, dachte er und schlurfte in das Schlafzimmer.

Er stand da und überlegte. Der Pub, dachte er. Du liebe Güte, der Pub. Vage erinnerte er sich, wahnsinnig wütend gewesen zu sein, wütend über irgendwas, das wohl wichtig war. Er hatte den Leuten davon erzählt, er hatte den Leuten lang und breit davon erzählt, vermutete er beinahe: woran er sich noch am deutlichsten erinnerte, das war der glasige Blick in den Gesichtern der Leute. Irgendwas über eine neue Umgehungsstraße hatte er gerade rausgefunden. Sie war schon monatelang geplant, bloß hatte offenbar niemand was davon gewußt. Lächerlich. Er trank einen Schluck Wasser. Das Problem würde sich von selbst erledigen, hatte er beschlossen, niemand wollte eine Umgehungsstraße, die Gemeindeverwaltung würde kein Bein an die Erde kriegen. Es würde sich von selbst erledigen.

Meine Güte, was für einen fürchterlichen Kater ihm das trotzdem eingebracht hatte! Er besah sich im Kleiderschrankspiegel. Er streckte die Zunge raus. »Gelb«, dachte er. Das Wort *gelb* ging ihm im Kopf herum und suchte nach einer Gedankenverbindung.

Fünfzehn Sekunden später war er draußen und lag vor einem großen gelben Bulldozer, der den Gartenweg heraufgefahren kam.

Mr. L. Prosser war, wie man so schön sagt, auch nur ein Mensch. Mit anderen Worten, er war eine auf Kohlenstoff basierende zweifüßige, vom Affen abstammende Bioform. Genauer gesagt, er war vierzig, fett und mies und arbeitete in der Gemeindeverwaltung. Außerdem war er komischerweise, obwohl er es nicht wußte, in männlicher Linie ein direkter Nachfahre von Dschingis Khan, wenn auch die vielen Generationen und Rassenmischungen seither seine Gene so verheddert hatten, daß er keine eindeutig mongolischen Eigenschaften mehr besaß, und die einzigen Überreste seiner mächtigen Vorfahren äußerten sich bei Mr. L. Prosser in ausgesprochener Fettleibigkeit und einer Vorliebe für kleine Pelzhüte.

Er war absolut kein großer Krieger: im Gegenteil, er war ein nervöser, ängstlicher Mann. Heute war er besonders nervös und ängstlich, denn irgendwas an seinem Auftrag war ernstlich schiefgelaufen – und dieser Auftrag war, dafür zu sorgen, daß Dents Haus noch vor Ende des Tages aus dem Wege geräumt wäre.

»Hören Sie doch auf damit, Mr. Dent«, sagte er, »Sie wissen, damit kommen Sie nicht durch. Sie können ja nicht ewig hier vor dem Bulldozer rumliegen.« Er versuchte, mit seinen Augen aggressiv zu blitzen, aber das taten sie einfach nicht.

Arthur lag im Matsch und hackte zurück.

»Macht mir nichts aus«, sagte er, »mal sehen, wer eher rostet.«

»Tut mir leid, aber Sie müssen den Tatsachen ins Auge sehen«, sagte Mr. Prosser, packte seinen Pelzhut und drehte ihn auf seinem Kopf herum, »diese Umgehungsstraße muß gebaut werden, und sie wird gebaut!«

»Ich höre zum erstenmal davon«, sagte Arthur, »warum muß sie denn gebaut werden?«

Mr. Prosser drohte ihm ein kleines bißchen mit dem Finger, dann ließ er das und steckte ihn wieder weg.

»Was soll das heißen, warum muß sie denn gebaut werden?« fragte er. »Es ist eine Umgehungsstraße. Und Umgehungsstraßen baut man eben.«

Umgehungsstraßen sind sinnreiche Gebilde, die es einigen Leuten erlauben, sehr schnell von Punkt A nach Punkt B zu sausen, während andere Leute sehr schnell von Punkt B nach Punkt A sausen. Leute, die am Punkt C wohnen, der genau in der Mitte dazwischen liegt, fragen sich oft verzweifelt, was an Punkt A so phantastisch ist, daß so viele Leute von Punkt B so versessen darauf sind, unbedingt dahin zu wollen, und was an Punkt B so phantastisch ist, daß so viele Leute von Punkt A so versessen darauf sind, unbedingt dahin zu wollen. Oft wünschen sie sich, die Leute würden sich einfach mal endgültig entscheiden, wo sie denn, verdammt nochmal, sein möchten.

Mr. Prosser wünschte sich, er wäre am Punkt D. Punkt D war nichts Spezielles, er war ganz einfach jeder annehmbare Punkt, der sehr weit von den Punkten A, B und C entfernt war. Er würde am Punkt D ein hübsches kleines Häuschen haben, mit Äxten über der Tür, und erfreulich viel Zeit am Punkt E verbringen, was der dem Punkt D am nächsten gelegene Pub wäre. Seine Frau wünschte sich natürlich Kletterrosen, aber er wollte Äxte. Er wußte nicht, warum – er mochte einfach Äxte. Unter dem höhnischen Gegrinse der Bulldozerfahrer errötete er heftig.

Er verlagerte sein Gewicht von einem Fuß auf den anderen, aber es war auf beiden genauso unbequem. Ganz offenbar hatte jemand grauenhaft versagt, und er hoffte zu Gott, er wäre es nicht selber.

Mr. Prosser sagte: »Sie hatten ja durchaus das Recht, zu geeigneter Zeit Vorschläge und Proteste zu äußern.«

»Zu geeigneter Zeit?« schimpfte Arthur. »Zu geeigneter Zeit? Zum erstenmal habe ich was davon gehört, als gestern ein Arbeiter bei mir aufkreuzte. Ich fragte ihn, ob er zum Fensterputzen gekommen wäre, und er sagte, nein, er sei gekommen, um das Haus abzureißen. Natürlich hat er mir das nicht gleich gesagt. Nein, erst hat er ein paar Fenster geputzt und auch noch fünf Pfund dafür verlangt. Dann erst hat er's mir gesagt.«

»Aber Mr. Dent, die Pläne lagen die letzten neun Monate im Planungsbüro aus.«

»O ja. Als ich davon hörte, bin ich gestern nachmittag gleich rübergegangen, um sie mir anzusehen. Man hatte sich nicht gerade viel Mühe gemacht, die Aufmerksamkeit darauf zu lenken. Ich meine, daß man's jemandem gesagt hätte oder so.«

»Aber die Pläne lagen aus . . .«

»Lagen aus? Ich mußte schließlich erst in den Keller runter . . .«

»Da werden sie immer ausgehängt.«

»Mit einer Taschenlampe.«

»Tja, das Licht war wohl kaputt.«

»Die Treppe auch.«

»Aber die Bekanntmachung haben Sie doch gefunden, oder?«

»Jaja«, sagte Arthur, »ja, das habe ich. Ganz zuunterst in einem verschlossenen Aktenschrank in einem unbenutzten Klo, an dessen Tür stand: *Vorsicht! Bissiger Leopard!*«

Über ihnen zog eine Wolke vorbei. Sie warf einen Schatten auf Arthur Dent, der auf seinen Ellbogen gestützt im kalten Matsch lag. Sie warf einen Schatten auf Arthur Dents Haus. Mr. Prosser sah es mißbilligend an.

»Es ist ja auch nicht so, daß es ein besonders schönes Haus wäre«, sagte er.

»Tut mir leid, aber mir gefällt's zufällig.«

»Die Umgehungsstraße wird Ihnen auch gefallen.«

»Ach, halten Sie Ihre Klappe«, sagte Arthur Dent. »Halten Sie

Ihre Klappe und hauen Sie ab, und nehmen Sie Ihre verdammte Umgehungsstraße gleich mit. Die kriegen Sie hier nicht durch, und das wissen Sie auch.«

Mr. Prosser klappte den Mund mehrere Male auf und zu, während ihm einen Moment lang unerklärliche, aber irrsinnig sympathische Bilder von Arthur Dents Haus, das in Flammen aufging, und von Arthur selbst durch den Kopf gingen, wie er mit mindestens drei mächtigen Speeren im Rücken schreiend aus der lodernden Ruine rannte. Mr. Prosser quälten oft solche Visionen, und sie machten ihn sehr nervös.

Einen Augenblick stotterte er herum, riß sich dann aber wieder zusammen.

»Mr. Dent«, sagte er.

»Ja? Bitte?« fragte Arthur.

»Ein paar Tatsachen zu Ihrer Information. Können Sie sich vorstellen, welchen Schaden dieser Bulldozer hier nehmen würde, wenn ich ihn einfach über Sie wegrollen ließe?«

»Welchen denn?« fragte Arthur.

»Überhaupt keinen«, sagte Mr. Prosser, stürmte nervös davon und wunderte sich, warum sein Kopf mit tausend haarigen Reitern angefüllt war, die alle auf ihn schimpften.

Durch einen seltsamen Zufall entspricht *Überhaupt keinen* genau dem Verdacht, den der vom Affen stammende Arthur hatte, daß einer seiner besten Freunde nicht vom Affen, sondern in Wirklichkeit von einem kleinen Planeten in der Nähe von Beteigeuze, und also auch nicht aus Guildford stammen könnte, was er immer behauptet hatte.

Nie und nimmer wäre Arthur Dent dieser Verdacht gekommen.

Sein Freund war erst vor ungefähr fünfzehn Erdenjahren auf dem Planeten angekommen und hatte sich große Mühe gegeben, sich in die Erdengesellschaft einzugliedern – mit einigem Erfolg, das muß man sagen. Er hatte sich zum Beispiel diese fünfzehn Jahre als arbeitslosen Schauspieler ausgegeben, was ziemlich plausibel klang.

Dennoch hatte er sich einen fahrlässigen Schnitzer geleistet, weil er bei seinen Erkundungen vorher etwas geschlampt hatte. Aufgrund seiner Informationen war er auf die Idee verfallen, sich den Namen »Ford Prefect« zuzulegen, weil er so hübsch unauffällig sei.

Er war nicht auffallend groß, seine Gesichtszüge waren eindrucksvoll, aber nicht auffallend hübsch. Sein Haar war drahtig und rötlich und von den Schläfen nach hinten gebürstet. Die Haut sah aus, als werde sie von der Nase nach hinten gezogen. Irgendwas an ihm war ein ganz klein bißchen merkwürdig, aber es war schwer zu sagen, was. Vielleicht lag es daran, daß seine Augen offenbar nicht oft genug zwinkerten, und wenn man sich länger mit ihm unterhielt, begannen einem aus diesem Grund unweigerlich die Augen zu tränen. Vielleicht lag es daran, daß er ein bißchen zu breit lächelte und auf die Leute den enervierenden Eindruck machte, er ginge ihnen im nächsten Augenblick an die Gurgel.

Die meisten Leute, die er sich auf der Erde zu Freunden gemacht hatte, hielten ihn für einen Exzentriker, aber einen harmlosen – für einen unbändigen Zecher mit ein paar drolligen Angewohnheiten. Zum Beispiel erschien er oft uneingeladen auf Universitätsparties, betrank sich total und machte sich dann über jeden Astrophysiker, der ihm in die Quere kam, solange lustig, bis er vor die Tür gesetzt wurde.

Manchmal sah man, wie er völlig geistesabwesend in den Himmel starrte, als wäre er hypnotisiert, bis ihn jemand fragte, was er da tue. Dann schreckte er für einen Moment schuldbewußt hoch, faßte sich wieder und grinste.

»Och, ich halte nur nach Fliegenden Untertassen Ausschau«, witzelte er dann, und alles lachte und fragte, was für Fliegende Untertassen das denn wären.

»Grüne!« antwortete er mit boshaftem Lächeln, lachte einen

Moment lang unbändig und stürmte darauf plötzlich in die nächstbeste Bar, wo er allen eine riesige Runde Drinks spendierte.

Abende wie diese endeten normalerweise verheerend. Ford betrank sich dann bis zur Besinnungslosigkeit mit Whisky, hockte sich mit irgendeinem Mädchen in die Ecke und setzte ihr in genuschelten Sätzen auseinander, daß ehrlich gesagt die Farbe der Fliegenden Untertassen wirklich keine so große Rolle spiele.

Danach torkelte er halb besinnungslos durch die nächtlichen Straßen und fragte vorbeikommende Polizisten immer wieder, ob sie nicht wüßten, wie man nach Beteigeuze komme. Die Polizisten sagten dann gewöhnlich sowas wie: »Meinen Sie nicht, daß es an der Zeit für Sie ist, nach Hause zu gehen, Sir?«

»Das versuche ich ja, Mann, das versuche ich ja«, war, was Ford bei solchen Gelegenheiten gleichbleibend antwortete.

Wonach er in Wirklichkeit Ausschau hielt, wenn er so geistesabwesend in den Himmel starrte, das war praktisch jede Art Fliegender Untertassen. Und ›grüne‹ sagte er nur deshalb, weil Grün traditionell die Farbe der Raum-Dienstanzüge der Handelsagenten von Beteigeuze war.

Ford Prefect hatte wenig Hoffnung, daß überhaupt bald eine Fliegende Untertasse erscheine, denn fünfzehn Jahre sind überall eine lange Zeit, wenn man irgendwo hängen bleibt, besonders wenn es so was geisttötend Langweiliges wie die Erde ist.

Ford wünschte sich, daß bald eine Fliegende Untertasse käme, denn er wußte, wie man Fliegende Untertassen runterflaggt und von ihnen ein Stück mitgenommen wird. Er wußte, wie man die Wunder des Universums für weniger als dreißig Atair-Dollars pro Tag zu sehen kriegt.

Denn in Wirklichkeit war Ford Prefect ein wandernder Kundschafter für das durch und durch bemerkenswerte Buch *Per Anhalter durch die Galaxis*.

Menschliche Wesen sind ungeheuer anpassungsfähig, und bis zur Mittagszeit hatte sich das Leben um Arthur Dents Haus herum bereits wieder normalisiert. Es war Arthurs allseits anerkannte Rolle, platschend im Matsch zu liegen und gelegentlich nach seinem Anwalt, seiner Mutter oder einem guten Buch zu verlangen; es war Mr. Prossers allseits anerkannte Rolle, Arthur ab und zu mit neuen Finten zu attackieren, etwa der »Für-das-öffentliche-Wohl«-Rede oder der »Die-Entwicklung-des-Fortschritts«-Rede oder der »Auch-mir-haben-sie-eines-Tages-das-Haus-abgerissen-aber-das-Leben-geht-weiter«-Rede und mit verschiedenen anderen Schmeicheleien und Drohungen; und es war die allseits anerkannte Rolle der Bulldozerfahrer, rumzusitzen, Kaffee zu trinken und Gewerkschaftssatzungen ins Spiel zu bringen, um mal zu sehen, was sich aus der Situation finanziell rausschlagen ließe.

Die Erde bewegte sich langsam auf ihrer täglichen Strecke.

Die Sonne trocknete den Matsch, in dem Arthur lag.

Wieder wanderte ein Schatten über ihn weg.

»Hallo, Arthur«, sagte der Schatten.

Arthur sah auf und erkannte, in die Sonne blinzelnd, zu seinem Erstaunen Ford Prefect über sich stehen.

»Hallo, Ford. Wie geht's dir?«

»Prima«, sagte Ford, »sag mal, hast du viel zu tun?«

»Ob ich viel zu *tun* habe?« rief Arthur. »Tja, ich muß bloß vor all diesen Bulldozern und so liegen, weil sie mir sonst das Haus abreißen, aber ansonsten . . . nöö, nicht besonders. Warum?«

Ironie ist auf Beteigeuze unbekannt, und Ford Prefect nahm sie oft nicht wahr, es sei denn, er paßte sehr auf. Er sagte: »Gut, kann ich irgendwo mit dir reden?«

»Was?« fragte Arthur Dent.

Ein paar Sekunden lang schien Ford keine Notiz von ihm zu nehmen und starrte gebannt in den Himmel wie ein Kaninchen, das unbedingt von einem Auto überfahren werden möchte. Dann kauerte er sich plötzlich neben Arthur hin.

»Ich muß unbedingt mit dir reden«, sagte er eindringlich.

»Okay«, sagte Arthur, »rede.«

»Und einen trinken«, sagte Ford. »Es ist ungeheuer wichtig, daß wir miteinander reden und einen trinken. Und zwar jetzt. Wir gehen in den Pub im Dorf.«

Wieder guckte er zum Himmel hinauf – nervös und erwartungsvoll.

»Hör mal, kapierst du eigentlich nicht?« schrie Arthur. Er zeigte auf Prosser. »Der Kerl da will mein Haus abreißen!«

Ford sah ihn verdutzt an.

»Ja und? Kann er das nicht auch, wenn du weg bist?« fragte er.

»Aber ich will das nicht!«

»Ach so.«

»Sag mal, was ist eigentlich mit dir, Ford?« fragte Arthur.

»Nichts. Nichts ist mit mir. Hör mal zu – ich muß dir unbedingt das Allerwichtigste erzählen, was du je gehört hast. Ich muß es dir unbedingt jetzt sofort erzählen, und ich muß es dir unbedingt im ›Horse and Groom‹ erzählen.«

»Aber wieso denn?«

»Weil du einen kräftigen Schluck nötig haben wirst.«

Ford starrte Arthur an, und Arthur stellte erstaunt fest, daß seine Willenskraft allmählich nachließ. Er hatte keine Ahnung, daß das auf ein altes Kneipenspiel zurückzuführen war, das Ford in den Hyperraum-Häfen des madranitischen Minendistrikts des Sternensystems von Orion Beta gelernt hatte.

Das Spiel war dem Erdenspiel »Indianischer Ringkampf« nicht unähnlich und wurde folgendermaßen gespielt:

Die zwei Gegner saßen sich an einem Tisch gegenüber, jeder hatte ein Glas vor sich stehen.

Zwischen ihnen stand eine Flasche Janx-Geist (der in dem alten Bergwerkslied vom Orion unsterblich besungen wird: »Oh, gib mir nichts mehr von dem Alten Janx-Geist/ Nein, gib mir nichts mehr von dem Alten Janx-Geist/ denn mein Kopf, der wiegt/ meine Zunge lügt/ mein Auge fliegt/ und ich werd verrückt/ Ach, gieß mir noch einen ein von diesem Teufels-Janx-Geist«).

Jeder der beiden Spieler mußte dann seinen ganzen Willen auf die Flasche konzentrieren und versuchen, sie zum Kippen zu bringen und Schnaps in das Glas des Gegners zu gießen – den dieser dann trinken mußte.

Die Flasche wurde dann wieder gefüllt. Das Spiel begann von neuem. Und von neuem.

Wenn man mal angefangen hatte zu verlieren, verlor man wahrscheinlich weiter, denn eine der Wirkungen des Janx-Geistes war, die telepsychischen Kräfte herabzusetzen.

Sobald eine vorher festgelegte Menge gekippt war, mußte der endgültige Verlierer zur Strafe etwas tun, was normalerweise etwas ganz schweinisch Biologisches war.

Ford Prefect war normalerweise aufs Verlieren aus.

Ford starrte Arthur an, und der dachte so langsam, daß er vielleicht doch ins »Horse and Groom« gehen wolle.

»Aber was ist mit meinem Haus . . .?« fragte er kläglich.

Ford guckte zu Mr. Prosser rüber, und da ging ihm plötzlich ein boshafter Gedanke durch den Kopf.

»Er will dein Haus abreißen?«

»Ja, er will eine Umgehungs . . .«

»Und er kann nicht, weil du vor seinem Bulldozer liegst?«

»Ja, und . . .«

»Ich denke, wir werden da was machen können«, sagte Ford. »Verzeihung!« rief er.

Mr. Prosser (der mit einem Sprecher der Bulldozerfahrer darüber diskutierte, ob Arthur Dent eine Bedrohung ihrer seelischen Gesundheit darstelle oder nicht, und wieviel sie dafür bekämen, wenn das der Fall wäre) drehte sich um. Er war erstaunt und auch ein bißchen irritiert, daß Arthur inzwischen Gesellschaft hatte.

»Ja? Bitte?« rief er. »Ist Mr. Dent doch noch zur Vernunft gekommen?«

»Können wir für den Augenblick mal voraussetzen«, rief Ford, »daß er das nicht getan hat?«

»Na, und?« seufzte Mr. Prosser.

»Und können wir ebenfalls mal voraussetzen«, sagte Ford,

»daß er den ganzen Tag hier liegenbleiben wird?«

»Und?«

»Und alle Ihre Leute den ganzen Tag rumstehen und nichts tun können?«

»Könnte sein, könnte sein . . .«

»Okay, wenn Sie sich sowieso damit abgefunden haben, dann müssen Sie ihn hier doch nicht die ganze Zeit liegen haben, oder?«

»Was?«

»Sie brauchen ihn doch nicht unbedingt hier«, sagte Ford geduldig.

Darüber dachte Mr. Prosser nach.

»Äh, nein, nicht unbedingt . . .«, sagte er, »*brauchen* würde ich nicht sagen . . .« Prosser war das nicht geheuer. Er dachte, einer von ihnen dächte nicht gerade sehr logisch.

Ford sagte: »Wenn Sie also einfach mal annähmen, er wäre eigentlich hier, dann könnten er und ich uns doch schnell mal auf 'ne halbe Stunde in den Pub verziehen. Wie finden Sie das?«

Mr. Prosser fand das komplett verrückt.

»Das hört sich sehr vernünftig an . . .«, sagte er in beruhigendem Ton und fragte sich, wen er wohl zu beruhigen versuche.

»Und wenn Sie dann später auch auf 'n kleinen Schluck abhauen wollen«, sagte Ford, »können wir ja die Stellung so lange für Sie halten.«

»Vielen herzlichen Dank«, sagte Mr. Prosser, der inzwischen überhaupt keine Ahnung mehr hatte, wie er sich verhalten sollte, »vielen herzlichen Dank, ja, sehr freundlich von Ihnen . . .« Er runzelte die Stirn, dann lächelte er, dann versuchte er beides zugleich, schaffte es nicht, griff nach seinem Pelzhut und drehte ihn unablässig auf seinem Kopf rum. Er konnte sich nur vorstellen, er habe gerade gesiegt.

»Bitte«, fuhr Ford Prefect fort, »wenn Sie eben mal hier rüberkämen und sich hinlegten . . .«

»Was?« sagte Mr. Prosser.

»Oh, ich bitte um Verzeihung«, sagte Ford, »vielleicht habe ich mich nicht deutlich genug ausgedrückt. Aber irgend jemand muß doch jetzt vor den Bulldozern liegen, nicht wahr? Sonst würde sie ja nichts davon abhalten, in Mr. Dents Haus hineinzufahren.«

»Was?« sagte Mr. Prosser schon wieder.

»Es ist ganz einfach«, sagte Ford, »mein Klient, Mr. Dent, sagt, daß er aus dem Matsch hier nur unter der Bedingung aufsteht, daß Sie herkommen und ihn ablösen.«

»Was redest du denn da?« sagte Arthur, aber Ford gab ihm mit einem leichten Fußtritt zu verstehen, daß er den Schnabel halten solle.

»Sie möchten«, sagte Mr. Prosser und führte sich diesen neuen Gedanken nochmal vor Augen, »daß ich rüberkomme und mich da hinlege . . .«

»Ja.«

»Vor den Bulldozer?«

»Ja.«

»Anstelle von Mr. Dent.«

»Ja.«

»In den Matsch.«

»In den Matsch, Sie sagen es.«

Sobald Mr. Prosser klar wurde, daß er schließlich doch der Verlierer war, hatte er das Gefühl, ihm falle eine Zentnerlast von den Schultern: das war die Welt, wie er sie kannte. Er seufzte.

»Und dafür gehen Sie mit Mr. Dent rüber in den Pub?«

»So ist es«, sagte Ford, »genau so ist es.«

Mr. Prosser machte ein paar nervöse Schritte vorwärts und blieb wieder stehen.

»Ehrenwort?« sagte er.

»Ehrenwort«, sagte Ford und drehte sich zu Arthur um.

»Los«, sagte er zu ihm, »steh auf und laß diesen Menschen sich hierherlegen.«

Arthur stand auf, er hatte das Gefühl, er befinde sich in einem Traum.

Ford nickte Prosser zu, der sich traurig und unbeholfen in den Matsch setzte. Mr. Prosser hatte das Gefühl, sein ganzes Leben sei so etwas wie ein Traum, und manchmal fragte er sich, wer ihn gerade träume, und ob der Träumer sich wohl amüsiere. Der Matsch legte sich um seinen Hintern und seine Arme und quoll ihm in die Schuhe.

Ford sah ihn streng an.

»Und nicht etwa heimlich Mr. Dents Haus abreißen, während er weg ist, verstanden?« sagte er.

»Nicht mal der Gedanke daran«, knurrte Mr. Prosser, als er sich zurücklegte, würde mir auch nur im entferntesten in den Sinn kommen.«

Er sah den Vertreter der Bulldozerfahrergewerkschaft näherkommen, ließ den Kopf zurücksinken und schloß die Augen. Er versuchte, seine Argumente zu ordnen, um zu beweisen, daß er nun nicht selber eine Bedrohung ihrer seelischen Gesundheit darstelle. Er war sich da absolut nicht sicher – sein Kopf schien voller Geräusche zu sein, Pferdegetrappel, Rauch und Blutgeruch. Das passierte immer, wenn er sich mies oder übertölpelt vorkam, und nie hatte er sich das erklären können. In einer hohen Dimension, von der wir nicht das geringste wissen, brüllte der mächtige Khan vor Wut, Mr. Prosser aber zitterte nur ein bißchen und wimmerte. Hinter seinen Lidern fühlte er, wie ihn ein paar Tränen zwickten. Bürokratische Spitzfindigkeiten, wütende Leute im Matsch, undefinierbare Fremde, die unbegreifliche Demütigungen austeilten, und eine unbekannte Reiterarmee in seinem Kopf, die ihn auslachte – was für ein Tag.

Was für ein Tag. Ford Prefect wußte, daß es so egal war wie sechs oder ein halbes Dutzend, ob Arthurs Haus nun abgerissen würde oder nicht.

Arthur war noch immer sehr besorgt.

»Können wir ihm denn auch trauen?« fragte er.

»Ich für mein Teil würde ihm bis ans Ende der Welt trauen«, sagte Ford.

»Na klar«, sagte Arthur, »aber wie weit ist das noch weg?«
»Ungefähr zwölf Minuten«, sagte Ford, »los, komm, ich brauch'
'n Drink.«

Folgendes ist der Encyclopaedia Galactica *über Alkohol zu ent-
nehmen. Da steht, daß Alkohol eine farblose, leicht verfliegende
Flüssigkeit ist, die durch Vergären von Zucker entsteht und auf
bestimmte Bioformen auf Kohlenstoffbasis giftig wirkt.*

Auch der Reiseführer Per Anhalter durch die Galaxis *erwähnt
den Alkohol. Da steht, der beste Drink, den es gibt, ist der Panga-
laktische Donnergurgler.*

*Da steht, die Wirkung eines Pangalaktischen Donnergurglers
ist so, als werde einem mit einem riesigen Goldbarren, der in Zi-
tronenscheiben gehüllt ist, das Gehirn aus dem Kopf gedroschen.*

Der Anhalter *gibt einem auch Auskunft darüber, auf welchen
Planeten die besten Pangalaktischen Donnergurgler gemixt werden, wieviel man über den Daumen gepeilt dafür bezahlen muß,
und welche freiwilligen Organisationen einem hinterher wieder
auf die Beine helfen.*

Der Anhalter *verrät einem sogar, wie man ihn sich selber mi-
xen kann.*

*Man nehme den Inhalt einer Flasche Alten Janx-Geist, heißt es
da.*

*Man füge ein Teil Wasser aus den Meeren von Santraginus V
hinzu – Oh, dieses santraginesische Meerwasser, heißt es da. Oh,
diese santraginesischen Fische!!!*

*Man lasse drei Würfel arkturanischen Mega-Gin in der Mi-
schung zergehen (sie muß gut gefroren sein, sonst verfliegt das
Benzin darin).*

Nun lasse man vier Liter fallianisches Sumpfgas hindurchperlen

– zur Erinnerung an all die glücklichen Anhalter, die vor Freude in den Sümpfen von Fallia starben.

Über einen umgedrehten Silberlöffel lasse man nun ein Teil qualaktinischen Hyperminz-Extrakt tröpfeln, der nach allen dunklen, zu Kopf steigenden qualaktinischen Zonen duftet: zart, süß und mystisch.

Man werfe den Zahn eines algolianischen Sonnentigers hinein. Schau zu, wie er sich auflöst und sich die Feuer der algolianischen Sonne tief im Herzen des Drinks verteilen.

Ein Spritzer Zamphuor.

Zum Schluß eine Olive.

Trinken . . . aber . . . sehr vorsichtig . . .

Der Reiseführer Per Anhalter durch die Galaxis *verkauft sich etwas besser als die* Encyclopaedia Galactica.

»Sechs Gläser Helles«, sagte Ford Prefect zum Barmann im ›Horse and Groom‹, »und ein bißchen dalli, die Welt geht gleich unter.«

Der Barmann im ›Horse and Groom‹ verdiente keine solche Behandlung, er war ein würdiger, alter Mann. Er schob seine Brille auf der Nase zurecht und sah Ford Prefect blinzelnd an. Ford nahm keine Notiz von ihm und starrte aus dem Fenster, also sah der Barmann Arthur an, der hilflos mit den Schultern zuckte und nichts sagte.

Der Barmann sagte: »Ach wirklich, Sir? Prima Wetter für sowas«, und machte sich ans Zapfen der Biere.

Dann versuchte er's nochmal.

»Sehen Sie sich das Spiel heute nachmittag an, Sir?«

Ford drehte sich zu ihm um. »Nein. Hat keinen Zweck«, sagte er, und guckte wieder aus dem Fenster.

»Was denn, ausgemachte Sache für Sie, Sir?« fragte der Barmann, »Arsenal ohne Chance?«

»Nein nein«, sagte Ford, »es ist nur, daß die Welt gleich untergeht.«

»O ja, Sir, das sagten Sie«, sagte der Barmann und guckte über seine Brille diesmal zu Arthur rüber. »Glück für Arsenal, wenn's stimmt.«

Ford sah ihn wieder an, aufrichtig erstaunt.

»Nein, eigentlich nicht«, sagte er. Er zog die Stirn kraus.

Der Barmann atmete hörbar ein. »So, bitte schön, Sir, sechs Helle«, sagte er.

Arthur lächelte ihn verlegen an und zuckte erneut die Schultern. Er drehte sich um und lächelte verlegen ins Lokal, einfach für den Fall, daß jemand zugehört hatte.

Das hatte aber keiner, und darum begriff auch keiner, warum er sie anlächelte.

Ein Mann, der neben Ford an der Bar saß, sah die beiden Männer an, sah die sechs Gläser Helles an, machte schnell eine kleine Überschlagsrechnung im Kopf, kam zu einem Ergebnis, das ihm gefiel, und schenkte ihnen ein dämliches, hoffnungsvolles Grinsen.

»Denkste«, sagte Ford, »die sind für uns«, und warf dem Mann einen Blick zu, der selbst einen algolianischen Sonnentiger dazu gebracht hätte, sich wieder um seinen eigenen Kram zu kümmern.

Ford knallte eine Fünf-Pfund-Note auf die Bar. Er sagte: »Der Rest ist für Sie.«

»Was, von 'nem Fünfer? Vielen Dank, Sir.«

»Ihnen bleiben noch zehn Minuten, es auszugeben.«

Der Barmann hielt es fürs beste, erst mal für eine Weile beiseite zu gehen.

»Ford«, sagte Arthur, würdest du mir bitte mal sagen, was zum Teufel eigentlich los ist?«

»Trink aus«, sagte Ford, »du mußt die drei Bier noch schaffen.«

»Drei Bier?« fragte Arthur, »zur Mittagszeit?«

Der Mann neben Ford grinste und nickte fröhlich. Ford übersah ihn. Er sagte: »Die Zeit ist eine Illusion. Die Mittagszeit erst recht.«

»Sehr tiefsinnig«, sagte Arthur, »das solltest du an *Reader's Digest* schicken. Die haben da extra 'ne Seite für Leute wie dich.«

»Trink aus.«

»Warum denn drei Bier und so schnell?«

»Zur Muskelentspannung, die wirst du noch brauchen.«

»Muskelentspannung?«

»Muskelentspannung.«

Arthur glotzte in sein Bier.

»Habe ich heute irgendwas verkehrt gemacht«, sagte er, »oder war die Welt schon immer so, und ich war bloß zu sehr mit mir beschäftigt, um's zu bemerken?«

»Okay«, sagte Ford, »ich werd's dir zu erklären versuchen. Wie lange kennen wir uns jetzt?«

»Wie lange?« dachte Arthur. »Äh, ungefähr fünf Jahre, vielleicht sechs«, sagte er. »Die meiste Zeit kam mir eigentlich ganz normal vor.«

»Okay«, sagte Ford. »Was würdest du sagen, wenn ich dir erzählte, daß ich gar nicht aus Guildford bin, sondern von einem kleinen Planeten irgendwo in der Nähe von Beteigeuze?«

Arthur zuckte unentschlossen mit den Achseln.

»Weiß ich nicht«, sagte er und trank einen Schluck Bier. »Warum – solltest du denn sowas sagen?«

Ford gab's auf. Sich damit rumzuquälen, war jetzt wirklich müßig, wo die Welt sowieso gleich unterging. Er sagte bloß:

»Trink aus.«

Er fügte völlig ernst hinzu:

»Die Welt geht gleich unter.«

Arthur lächelte wieder verlegen ins Lokal. Die Lokalgäste sahen ihn finster an. Ein Mann machte ihm ein Zeichen, daß er gefälligst aufhören solle zu lächeln und sich um seinen eigenen Kram kümmern.

»Heute muß Donnerstag sein«, sagte sich Arthur und beugte sich tief über sein Bier, »mit Donnerstagen kam ich noch nie zu Rande.«

3

An diesem ganz speziellen Donnerstag bewegte sich viele Meilen über dem Planeten etwas lautlos durch die Ionosphäre; mehrere Etwasse, um genau zu sein, mehrere Dutzend riesige, gelbe, plumpe scheibenartige Etwasse, riesig wie Bürohäuser, leise wie Vögel. Sie segelten gemächlich dahin, sonnten sich in den elektromagnetischen Strahlen des Sterns Sol, warteten ab, bezogen Stellung, hielten sich bereit.

Der Planet unter ihnen hatte so gut wie keine Ahnung von ihrer Anwesenheit, und das entsprach im Augenblick genau dem, was sie wollten. Die riesigen gelben Etwasse flogen unbemerkt nach Goonhilly, schwebten ohne jedes Echosignal über Cap Canaveral weg, Woomera und Jodrell Bank sahen schlicht und einfach durch sie durch – was schade war, weil das genau die Dinge waren, nach denen sie die ganzen Jahre Ausschau gehalten hatten.

Als einziges registrierte sie ein kleiner schwarzer Apparat namens Sub-Etha-Sens-O-Matic, der seelenruhig vor sich hintickerte. Er ruhte in der Dunkelheit eines Lederbeutels, den Ford Prefect gewöhnlich um den Hals trug. Die Sachen in diesem Beutel waren wirklich hochinteressant und hätten jedem Physiker auf der Erde die Augen aus dem Kopf treten lassen, weshalb er sie auch immer unter ein paar zerfledderten Stückmanuskripten versteckte, von denen er so tat, als studiere er sie. Außer dem Sub-Etha-Sens-O-Matic und den Stücken besaß Ford einen Elektronischen Daumen – einen kurzen, kompakten, schwarzen Stab, glatt und matt glänzend, mit einer Reihe flacher Schalter und Skalen an dem einen Ende; außerdem hatte er ein Gerät, das fast wie ein etwas groß geratener Rechenschieber aussah. An ihm befanden sich ungefähr hundert winzigkleine flache Knöpfe und ein etwa zehn mal zehn Zentimeter großer Bildschirm, auf den blitzschnell jede einzelne von einer Million »Buchseiten« eingespielt werden konnte Es sah wahnsinnig kompliziert aus, was auch einer der Gründe war, weshalb auf die genau passende Plastikhülle, in der es steckte, mit großen freundlichen Buchstaben die Worte KEINE PANIK gedruckt waren. Der andere Grund war der, daß dieses Gerät in Wirklichkeit das bemerkenwerteste aller Bücher war, die bei den großen Verlagen von Ursa Minor je erschienen sind – *Per Anhalter durch die Galaxis*. Man hatte es in der Form einer Mikro-Sub-Meson-Elektronik-Einheit herausgebracht, denn wenn man es in normaler Buchform gedruckt hätte, wäre der interstellare Anhalter gezwungen gewesen, mehrere unhandliche Lagerhallen mit sich rumzuschleppen.

Ganz zuunterst in Ford Prefects Beutel lagen ein paar Kugelschreiber, ein Notizblock und ein ziemlich großes Badetuch von Marks & Spencer.

Der Reiseführer Per Anhalter durch die Galaxis *enthält ein paar Angaben zum Thema Handtücher.*

Ein Handtuch, heißt es da, ist so ungefähr das Nützlichste, was der interstellare Anhalter besitzen kann. Einmal ist es von großem praktischem Wert – man kann sich zum Wärmen darin einwikkeln, wenn man über die kalten Monde von Jaglan Beta hüpft; man kann an den leuchtenden Marmorsandstränden von Santraginus V darauf liegen, wenn man die berauschenden Dämpfe des Meeres einatmet; man kann unter den so rot glühenden Sternen in den Wüsten von Kakrafoon darunter schlafen; man kann es als Segel an einem Minifloß verwenden, wenn man den trägen, bedächtig strömenden Moth-Fluß hinuntersegelt, und naß ist es eine ausgezeichnete Nahkampfwaffe; man kann es sich vors Gesicht binden, um sich gegen schädliche Gase zu schützen oder dem Blick des Gefräßigen Plapperkäfers von Traal zu entgehen (ein zum Verrücktwerden dämliches Vieh, es nimmt an, wenn du es nicht siehst, kann es dich auch nicht sehen – bescheuert wie ei-

ne Bürste, aber sehr, sehr gefräßig); bei Gefahr kann man sein Handtuch als Notsignal schwenken und sich natürlich damit abtrocknen, wenn es dann noch sauber genug ist.

Was jedoch noch wichtiger ist: ein Handtuch hat einen immensen psychologischen Wert. Wenn zum Beispiel ein Strag (Strag = Nicht-Anhalter) dahinter kommt, daß ein Anhalter sein Handtuch bei sich hat, wird er automatisch annehmen, er besäße auch Zahnbürste, Waschlappen, Seife, Keksdose, Trinkflasche, Kompaß, Landkarte, Bindfadenrolle, Insektenspray, Regenausrüstung, Raumanzug usw., usw. Und der Strag wird dann dem Anhalter diese oder ein Dutzend andere Dinge bereitwilligst leihen, die der Anhalter zufällig gerade »verloren« hat. Der Strag denkt natürlich, daß ein Mann, der kreuz und quer durch die Galaxis trampt, ein hartes Leben führt, in die dreckigsten Winkel kommt, gegen schreckliche Übermächte kämpft, sich schließlich an sein Ziel durchschlägt und trotzdem noch weiß, wo sein Handtuch ist, eben ein Mann sein muß, auf den man sich verlassen kann.

Daher der Satz, der in den Anhalterjargon übernommen worden ist: »He, hast du den Hoopy Ford Prefect gesasst? Das ist 'n Frood, der weiß echt, wo sein Handtuch ist.« (Sassen = wissen, durchblicken, treffen, Sex haben mit; Hoopy = echt irrer Typ; Frood = total echt irrer Typ).

Das Sub-Etha-Sens-O-Matic, das friedlich auf dem Badetuch in Ford Prefects Beutel ruhte, begann schneller zu ticken. Viele Meilen über der Oberfläche des Planeten schwärmten die riesigen gelben Etwasse fächerförmig auseinander. In Jodrell Bank beschloß jemand, es wäre Zeit für eine schöne, erholsame Tasse Tee.

»Hast du ein Handtuch bei dir?« sagte Ford plötzlich zu Arthur.

Arthur, der sich durch sein drittes Bier mühte, drehte sich zu ihm um.

»Wieso? Was, nein . . . Sollte ich das?« Er hatte es aufgegeben, sich noch über irgendwas zu wundern, das hatte offenbar sowieso keinen Zweck.

Ford schnalzte nervös mit der Zunge.

»Trink aus«, drängte er.

In diesem Augenblick drang ein dumpfes, polterndes Krachen von draußen durch das leise Gemurmel im Pub, durch die Musik der Jukebox und durch den Schluckauf des Mannes neben Ford, der dem Kerl schließlich doch noch einen Whisky spendiert hatte.

Arthur verschluckte sich an seinem Bier und sprang auf.

»Was ist denn das?« schrie er.

»Keine Bange«, sagte Ford, »sie haben noch nicht angefangen.«

»Gott sei Dank«, sagte Arthur und setzte sich erleichtert wieder hin.

»Es ist wahrscheinlich bloß dein Haus, das abgerissen wird«, sagte Ford und kippte sein letztes Glas Helles.

»Was?« schrie Arthur. Fords Bann war plötzlich gebrochen. Arthur sah sich wütend um und rannte ans Fenster.

»Mein Gott, tatsächlich! Sie reißen mein Haus ab. Was zum Teufel tue ich denn hier im Pub, Ford?«

»Das macht doch jetzt kaum noch was aus«, sagte Ford, »laß ihnen doch ihren Spaß.«

»Spaß?« kreischte Arthur. »Spaß!« Schnell vergewisserte er sich durch das Fenster, daß sie beide über das gleiche sprachen.

»Zum Teufel mit ihrem Spaß!« schimpfte er, rannte aus dem Pub und schwenkte wütend sein fast leeres Bierglas. An diesem Mittag machte er sich in dem Pub weiß Gott keine Freunde.

»Halt, ihr Vandalen! Ihr Hauszerstörer!« brüllte Arthur. »Ihr übergeschnappten Barbaren, werdet ihr wohl aufhören!«

Ford mußte unbedingt schnell hinter ihm her. Er drehte sich rasch zu dem Barmann um und verlangte vier Tüten Erdnüsse.

»So, bitte, Sir«, sagte der Barmann und knallte die Tüten auf die Bar, »achtundzwanzig Pence, wenn Sie so nett wären.«

Ford war sehr nett – er gab dem Barmann eine zweite Fünf-Pfund-Note und sagte ihm, daß er den Rest behalten könne. Der Barmann sah auf das Geld, dann sah er Ford an. Plötzlich fröstelte ihn: vorübergehend verspürte er ein Gefühl, das er sich nicht er klären konnte, weil es noch niemand zuvor auf der Erde verspürt hatte. In Augenblicken großer innerer Spannung sendet jede existierende Bioform unbewußt ein winziges Signal aus. Dieses Signal übermittelt ein exaktes und geradezu erschütterndes Gefühl davon, wie weit das betreffende Wesen von seinem Geburtsort entfernt ist. Auf der Erde ist es unmöglich, weiter als zwanzigtausend Kilometer von seinem Geburtsort entfernt zu sein, was wirklich nicht sehr weit ist, darum sind die Signale auch zu schwach, um überhaupt bemerkt zu werden. Ford Prefect stand in diesem Augenblick unter großer innerer Spannung, und er war sechshundert Lichtjahre entfernt in unmittelbarer Nähe von Beteigeuze geboren.

Der Barmann schwankte einen Moment, getroffen von einem schrecklichen, unfaßbaren Gefühl der Ferne. Er wußte nicht, was es bedeutete, aber er sah Ford plötzlich mit Respekt, beinahe mit Ehrfurcht an.

»Ist das Ihr Ernst, Sir?« fragte er und flüsterte so leise, daß der ganze Pub in Schweigen versank. »Sie meinen, die Welt geht unter?«

»Ja«, sagte Ford.

»Heute nachmittag?«

Ford hatte sich wieder gefaßt. Er war gut gelaunt wie schon lange nicht mehr.

»Ja«, sagte er fröhlich, »in weniger als zwei Minuten, würde ich schätzen.«

Der Barmann traute dieser Unterhaltung nicht, aber dem Gefühl, das er gerade verspürt hatte, traute er auch nicht.

»Und können wir denn gar nichts dagegen tun?« fragte er.

»Nein, nichts«, sagte Ford und stopfte die Erdnüsse in seine Tasche.

Irgendeiner in der verstummten Bar lachte plötzlich heiser los darüber, wie albern sich alle benähmen.

Der Mann neben Ford war mittlerweile ziemlich blau. Seine Augen schlingerten zu Ford rauf.

»Ich dachte«, sagte er, »wenn die Welt untergeht, müßten wir uns auf den Boden legen oder eine Papiertüte über den Kopf ziehen oder so.«

»Klar, wenn's Ihnen Spaß macht«, sagte Ford.

»Das haben sie uns in der Armee beigebracht«, sagte der Mann, und seine Augen begaben sich auf die lange Reise zurück zu seinem Whisky.

»Und hilft das?« fragte der Barmann.

»Nein«, sagte Ford und schenkte ihm ein freundliches Lächeln. »Entschuldigen Sie mich bitte«, sagte er, »ich muß gehen.« Er winkte kurz und ging hinaus.

Die Leute im Pub schwiegen noch eine Weile, dann lachte wieder der Mann mit dem heiseren Lachen, was alle peinlich berührte.

Dem Mädchen, das er in den Pub mitgeschleift hatte, war er während der letzten Stunde reichlich widerlich geworden, und es wäre ihr wahrscheinlich eine große Genugtuung gewesen, wenn sie gewußt hätte, daß er in ungefähr anderthalb Minuten plötzlich zu einer Wolke aus Wasserstoff, Ozon und Kohlenmonoxyd verdampfen würde. Leider würde sie in diesem Moment zu sehr mit ihrer eigenen Verdampfung beschäftigt sein, um sich noch darüber zu freuen.

Der Barmann räusperte sich. Er hörte sich sagen:

»Die letzten Bestellungen, bitte.«

Die riesigen gelben Maschinen gingen allmählich tiefer und flogen schneller.

Ford wußte, jetzt waren sie da. Aber so hatte er sich's nicht gewünscht.

Arthur war die Straße entlang gerannt und fast an seinem Haus angekommen. Er merkte nicht, wie kalt es plötzlich geworden war, er bemerkte den Wind nicht, er bemerkte auch nicht die plötzliche und völlig widersinnige Regenbö. Er bemerkte nichts außer den Planierraupen, die über die Trümmer krochen, die einmal sein Haus waren.

»Ihr Barbaren!« schrie er. »Ich verklage die Gemeindeverwaltung auf jeden Penny, den sie hat. Ich lasse euch hängen, strecken und vierteilen! Und auspeitschen! Und garkochen . . . bis . . . bis . . . bis ihr die Nase voll habt.«

Ford rannte sehr schnell hinter ihm her. Sehr, sehr schnell.

»Und dann mach ich's nochmal!« schrie Arthur. »Und wenn ich damit fertig bin, nehme ich die ganzen kleinen Stückchen und *trample* drauf rum!«

Arthur bemerkte nicht, daß die Männer von den Bulldozern wegrannten, er bemerkte nicht, daß Mr. Prosser wie gebannt in den Himmel starrte. Was Mr. Prosser bemerkte, das waren riesige gelbe Etwasse, die durch die Wolken heulten. Unwahrscheinlich riesige gelbe Etwasse.

»Und ich werde drauf rumtrampeln«, schrie Arthur und lief immer weiter, »bis ich Blasen kriege oder bis mir noch was Furchtbareres einfällt, und dann werde ich . . .«

Arthur stolperte und fiel kopfüber hin, überschlug sich und landete auf dem Rücken. Endlich bemerkte er, daß etwas vor sich ging. Sein Finger schoß nach oben.

»Zum Teufel, was ist das denn?« kreischte er.

Egal, was es war, es raste in seiner monströsen Gelbheit über den Himmel, zerriß ihn mit einem wahnsinnigen Knall und verschwand in der Ferne, während die klaffende Luft sich hinter ihm mit einem *Peng* schloß, das einem die Ohren zwei Meter tief in den Schädel trieb.

Ein zweites folgte und machte genau dasselbe, bloß lauter. Es ist schwer zu sagen, was die Leute auf der Oberfläche des Planeten nun taten, denn sie wußten wirklich selber nicht, was sie eigentlich taten. Nichts jedenfalls war sehr vernünftig – sie rannten in die Häuser hinein, sie rannten aus den Häusern heraus, sie schrien lautlos bei all dem Krach. Auf der ganzen Welt waren die Straßen der Städte zum Bersten voll mit Menschen, die Autos fegten ineinander, als der Donner auf sie heruntersackte und dann wie eine Flutwelle über Hügel und Täler, Wüsten und Ozeane davonrollte und alles niederzuwalzen schien, was er traf.

Nur einer stand da und beobachtete den Himmel, stand da mit schrecklicher Traurigkeit im Auge und Gummistöpseln in den Ohren. Er wußte genau, was jetzt passierte, und wußte es schon die ganze Zeit, seit sein Sub-Etha-Sens-O-Matic plötzlich mitten in der Nacht zu ticken begann und ihn aus dem Schlaf riß. Das war's, worauf er all die Jahre gewartet hatte. Als er aber, allein in seinem kleinen dunklen Zimmer, den Signal-Code entziffert hatte, da hatte Kälte ihn erfaßt und ihm das Herz zusammengepreßt. Von allen Rassen in der ganzen Galaxis, die hätten zu Besuch kommen und dem Planeten Erde ihr gigantisches Hallo zurufen können, dachte er, mußten es doch nicht ausgerechnet die Vogonen sein.

Trotzdem wußte er, was er zu tun hatte. Als das vogonische Raumschiff hoch über ihm durch die Luft kreischte, öffnete er seinen Lederbeutel. Er warf das Exemplar von *Joseph und der wunderbare Technicolor-Traummantel* weg, er warf das Exemplar von *Der Gotteszauber* weg: wo er hinging, brauchte er sie nicht mehr. Alles war fertig, alles war bereit.

Er wußte, wo sein Handtuch war.

Eine plötzliche Stille fiel auf die Erde. Womöglich war sie noch schlimmer als der Krach. Eine Weile passierte überhaupt nichts.

Die riesigen Raumschiffe hingen reglos am Himmel, über jedem Land der Erde. Reglos hingen sie am Himmel, riesig, mächtig, unerschütterlich, eine Lästerung gegen die Natur. Viele Leute traf einfach der Schlag, als sie mit ihrem Verstand zu fassen versuchten, was sie sahen. Die Raumschiffe hingen so am Himmel, wie Ziegelsteine es nicht tun.

Und immer noch passierte nichts.

Dann hörte man ein leises Wispern, ein plötzliches weltweites Wispern, durchdringend und allumfassend. Jede Hifi-Anlage der

Welt, jedes Radio, jeder Fernseher, jeder Cassettenrecorder, jeder Baß-, Mittel- und Hochtonlautsprecher auf der Erde schaltete sich friedlich von selbst ein.

Jede Konservendose, jeder Mülleimer, jedes Fenster, jedes Auto, jedes Weinglas, jedes rostige Stück Metall wurde zum akustisch perfekten Resonanzträger.

Bevor die Erde von der Bildfläche verschwand, sollte sie wenigstens noch in den Genuß des allerletzten Schreis der Tontechnik kommen, des größten öffentlichen Endverstärkers, der je gebaut wurde. Aber es gab kein Konzert, keine Musik, keine Fanfare, nur eine simple Botschaft.

»Bewohner der Erde, bitte herhören«, sagte eine Stimme, und es war einfach phantastisch. Ein einfach phantastisch perfekter Quadrosound mit einem so niedrigen Klirrfaktor, daß einem anständigen Menschen das Heulen kommen konnte.

»Hier spricht Prostetnik Vogon Jeltz vom Galaktischen Hyperraum-Planungsrat«, fuhr die Stimme fort. »Wie Ihnen zweifellos bekannt sein wird, sehen die Pläne zur Entwicklung der Außenregionen der Galaxis den Bau einer Hyperraum-Expreßroute durch Ihr Sternensystem vor, und bedauerlicherweise ist Ihr Planet einer von denen, die gesprengt werden müssen. Das Ganze wird nur etwas weniger als zwei Ihrer Erdenminuten in Anspruch nehmen. Danke.«

Der Endverstärker verstummte.

Verständnisloser Schrecken senkte sich über die lauschenden Menschen auf der Erde. Der Schrecken zog langsam durch die versammelten Menschenmengen, als wären sie Eisenspäne auf einem Brett, unter dem ein Magnet entlanggezogen wird. Panik schoß wieder hoch, eine verzweifelte Panik zu fliehen, aber es gab nichts, wohin man fliehen konnte.

Als sie das bemerkten, schalteten die Vogonen ihre Superanlage wieder ein. Die Stimme sagte:

»Es gibt überhaupt keinen Grund, dermaßen überrascht zu tun. Alle Planungsentwürfe und Zerstörungsanweisungen haben fünfzig Ihrer Erdenjahre lang in Ihrem zuständigen Planungsamt auf Alpha Centauri ausgelegen. Sie hatten also viel Zeit, formell Beschwerde einzulegen, aber jetzt ist es viel zu spät, so ein Gewese darum zu machen.«

Wieder verstummte der Endverstärker, und sein Echo hallte über das Land. Die riesigen Raumschiffe machten am Himmel mit langsamer Kraft gemächlich kehrt. Auf der Unterseite eines jeden ging eine Luke auf, ein leeres, schwarzes Viereck.

Währenddessen mußte irgendwo irgend jemand eine Radiostation besetzt, die richtige Frequenz gefunden und eine Botschaft an die vogonischen Raumschiffe gesendet haben, um sich für den Planeten einzusetzen. Niemand hörte jemals, was gesagt wurde, man hörte nur die Antwort. Der gewaltige Endverstärker erwachte wieder zum Leben. Die Stimme war gereizt. Sie sagte:

»Was soll das heißen, Sie sind niemals auf Alpha Centauri gewesen? Ja du meine Güte, ihr Erdlinge, das ist doch nur vier Lichtjahre von hier. Tut mir leid, aber wenn Sie sich nicht einmal um Ihre ureigensten Angelegenheiten kümmern, ist das wirklich Ihr Problem.

Vernichtungsstrahlen einschalten!«

Licht ergoß sich aus den Luken.

»Ich weiß nicht«, sagte die Stimme von oben, »ein lahmer Drecksplanet ist das. Ich habe nicht das geringste Mitleid.« Sie verstummte.

Es folgte eine wahnsinnige, grauenhafte Stille.

Es folgte ein wahnsinniger, grauenhafter Krach.

Es folgte eine wahnsinnige, grauenhafte Stille.

Die Bauflotte der Vogonen glitt davon in die rabenschwarze bestirnte Leere.

4

Weit weg, im genau gegenüberliegenden Spiralarm der Galaxis, fünfhunderttausend Lichtjahre vom Stern Sol entfernt, raste Zaphod Beeblebrox, der Präsident der Regierung des Galaktischen Imperiums, über die Meere von Damogran, sein ionengetriebenes Deltaboot blinkte und glitzerte in der damogranischen Sonne.

Damogran der Heiße; Damogran der Entlegene; Damogran, der fast total unbekannte Planet.

Damogran, der geheime Stützpunkt der »Herz aus Gold«.

Das Boot raste weiter über das Wasser. Es würde einige Zeit dauern, bis es sein Ziel erreichte, denn Damogran ist ein furchtbar unpraktisch angelegter Planet. Er besteht aus nichts anderem als mittelgroßen bis großen Wüsteneilanden, die durch wunderschöne, aber nervierend riesige Wasserflächen voneinander getrennt sind.

Das Boot raste weiter.

Wegen dieser topografischen Unbequemlichkeit ist Damogran immer öd und leer geblieben. Das ist aber auch der Grund, weshalb die Regierung des Galaktischen Imperiums Damogran für das »Herz aus Gold«-Projekt wählte, denn der Planet war so wahnsinnig öd und leer, und das »Herz aus Gold«-Projekt war so wahnsinnig geheim.

Das Boot sirrte und schwirrte über das Meer – das Meer, das sich zwischen den Hauptinseln der einzigen Inselgruppe des Planeten erstreckte, die von brauchbarer Größe war. Zaphod Beeblebrox befand sich auf dem Weg von dem winzigen Raumflughafen auf der Osterinsel (daß die Insel so hieß, war ein vollkommen bedeutungsloser Zufall – auf Galaktisch heißt *Oster* klein, flach und hellbraun) zur »Herz aus Gold«-Insel, die aufgrund eines weiteren vollkommen bedeutungslosen Zufalls Frankreich hieß.

Einer der Nebeneffekte der Arbeit an der »Herz aus Gold« war eine ganze Reihe vollkommen bedeutungsloser Zufälle.

Aber es war absolut kein Zufall, daß der heutige Tag, der Tag des Höhepunkts des ganzen Projekts, der große Tag der Enthüllung, der Tag, an dem die »Herz aus Gold« endlich der staunenden Galaxis vorgestellt werden sollte, auch der große Tag des Höhepunkts von Zaphod Beeblebrox war. Vor allem dieses Tages wegen hatte er beschlossen, sich um die Präsidentschaft* zu bewerben, eine Entscheidung, die Schockwellen der Verwunderung durch das ganze Galaktische Imperium verbreitet hatte – Zaphod Beeblebrox? *Präsident? Doch nicht *der* Zaphod Beeblebrox? Doch nicht als *der* Präsident? Viele hatten das als schlagenden Beweis dafür angesehen, das die Gesamtheit der bekannten Schöpfung endgültig übergeschnappt war.

Zaphod grinste und gab dem Boot einen Extra-Zacken drauf.

Zaphod Beeblebrox, Abenteurer, Ex-Hippy, Lebemann, (Hochstapler? Gut möglich) manischer Selbstbeweihräucherer, in persönlichen Beziehungen ein grauenhafter Versager, oftmals für total bescheuert gehalten.

---

* Präsident: voller Titel – Präsident der Regierung des Galaktischen Imperiums. Die Bezeichnung *Imperium* (Kaiserreich) wird beibehalten, obwohl sie mittlerweile anachronistisch ist. Der rechtmäßige Kaiser ist beinahe tot, und das schon seit vielen Jahrhunderten. In den allerletzten Momenten seines Komas wurde er in ein Blutstockungsfeld eingeschlossen, das ihn im Zustand ewiger Unwandelbarkeit hält. Alle seine Erben sind inzwischen tot, und das bedeutet, daß sich die Macht ohne jede drastische politische Umwälzung einfach und erfolgreich eine oder zwei Sprossen auf der Stufenleiter nach unten bewegt hat und jetzt bei einem Gremium liegt, das früher schlicht und einfach als Kaiserliche Berater fungiert hat – eine gewählte Regierungsversammlung, der ein aus ihrer Mitte gewählter Präsident vorsteht. In Wirklichkeit jedoch liegt die Macht bei keiner dieser Stellen.

Vor allem der Präsident ist eigentlich nur ein Strohmann. Er übt keine,

Präsident?

Niemand war übergeschnappt, zumindest nicht so.

Nur sechs Leute in der gesamten Galaxis kapierten das Prinzip, nach dem die Galaxis regiert wurde, und sie wußten, daß in dem Moment, als Zaphod Beeblebrox verkündet hatte, daß er sich um die Präsidentschaft bewerben werde, die ganze Sache mehr oder weniger ein *fait accompli* war: Zaphod Beeblebrox war das ideale Präsidentschaftsfutter.

Was sie absolut nicht kapierten, das war, warum Zaphod das tat.

Er ging in eine scharfe Kurve und schoß einen mächtigen Schwall Wasser gegen die Sonne.

Heute war der Tag: heute war der Tag, an dem sie dahinterkommen würden, was Zaphod im Schilde führte. Heute war der Tag, um den allein es bei Zaphod Beeblebrox' Präsidentschaft ging. Heute war außerdem sein zweihundertster Geburtstag, aber das war nur ein weiterer vollkommen bedeutungsloser Zufall.

Während er sein Boot über die Meere von Damogran schipperte, lächelte er still in sich hinein bei der Vorstellung, was für ein

---

aber auch wirklich gar keine Macht aus. Er wird zwar von der Regierung gewählt, aber die Qualitäten, die er vorzuweisen hat, haben weniger was mit Führung zu tun als vielmehr mit subtil dosierter Unverschämtheit. Aus diesem Grunde ist der Präsident stets eine widersprüchliche Persönlichkeit, ein aufreizender, doch faszinierender Charakter. Seine Aufgabe besteht nicht darin, Macht auszuüben, sondern die Aufmerksamkeit von ihr abzulenken. In dieser Hinsicht ist Zaphod Beeblebrox einer der erfolgreichsten Präsidenten, die die Galaxis je hatte – zwei seiner zehn Präsidentenjahre verbrachte er bereits wegen Unterschlagung hinter Gittern. Ganz ganz wenige Leute wissen, daß der Präsident und die Regierung eigentlich gar keine Macht haben, und von diesen wenigen wissen nur sechs, von wem die allerhöchste politische Macht ausgeht. Fast alle andern glauben im stillen, die letzten Entscheidungsbefugnisse habe ein Computer inne. Sie könnten nicht falscher liegen.

fabelhaft aufregender Tag das werden würde. Er machte sich's bequem und ließ seine beiden Arme lässig auf der Rücklehne ruhen. Steuern tat er mit einem Extra-Arm, den er sich erst vor kurzem gleich unter seinem rechten Arm hatte anbringen lassen, weil er sich damit im Ski-Boxen zu verbessern hoffte.

»He«, gurrte er zufrieden in sich hinein, »du bist ein echt cooler Junge bist du.« Aber seine Nerven sangen ein Lied, schriller als eine Hundepfeife.

Die Insel namens Frankreich war ungefähr zwanzig Meilen lang, in der Mitte fünf Meilen breit, sandig und wie ein Halbmond geformt. In Wirklichkeit aber schien der Sinn ihrer Existenz nicht so sehr in ihrer Eigenschaft als Insel zu liegen, sondern eher darin, den Schwung und die Rundung einer großen Bucht zu beschreiben. Dieser Eindruck wurde noch dadurch verstärkt, daß die innere Küstenlinie dieses Halbmonds fast ausschließlich aus steilen Klippen bestand. Vom höchsten Punkt der Klippen aus neigte sich das Land fünf Meilen bis zur gegenüberliegenden Seite sacht abwärts.

Auf dem höchsten Punkt der Klippen stand ein Empfangskomitee.

Es bestand größtenteils aus den Ingenieuren und Wissenschaftlern, die die »Herz aus Gold« gebaut hatten – vor allem Humanoide; doch hier und dort gab es auch ein paar reptiloide Atomineure, zwei oder drei grüne, sylphenartige Maximegalatikiane, einen oder zwei achtfüßige Physukturalisten und einen Huluvu (ein Huluvu ist ein superintelligenter Schatten von blauer Färbung). Alle bis auf den Huluvu prangten in ihren festlichen, bunten Laborkitteln, den Huluvu hatte man zu diesem Anlaß vorübergehend in ein freistehendes Prisma hineingespiegelt.

Das Gefühl ungeheurer Erregung durchbebte sie alle. Miteinander und untereinander waren sie an die äußersten Grenzen der physikalischen Gesetze und darüber hinaus gelangt, hatten sie die Elementarstruktur der Materie umgebaut und die Gesetze des Möglichen und Unmöglichen verbogen, verrenkt und gebrochen, und doch schien das Alleraufregendste von allem zu sein, einem Mann mit einer orangefarbenen Schärpe um den Hals gegenübertreten zu dürfen. (Eine orangefarbene Schärpe war traditionell das Zeichen des Präsidenten der Galaxis.) Es wäre ihnen wahrscheinlich auch völlig egal gewesen, wenn sie gewußt hätten, wieviel Macht der Präsident der Galaxis wirklich hatte: nämlich überhaupt keine. Nur sechs Leute in der ganzen Galaxis wußten, daß die Aufgabe des Präsidenten der Galaxis nicht darin bestand, Macht auszuüben, sondern die Aufmerksamkeit davon abzulenken.

Zaphod Beeblebrox war erstaunlich gut in seinem Job.

Die Menge seufzte, durch Sonne und so große Seemannkunst geblendet, hörbar auf, als das Präsidentenschnellboot um die Landspitze in die Bucht schwirrte. Es blitzte und glitzerte, während es in weiten, weichen Kurven über das Meer dahergeglitten kam.

In Wirklichkeit hatte es überhaupt nicht nötig, das Wasser zu berühren, weil es auf einem Dunstkissen ionisierter Atome ruhte – aber weil es halt so toll wirkte, war es mit dünnen Schwertflossen ausgerüstet, die ins Wasser hinabgelassen werden konnten. Mit ihnen wurden die Wasserflächen zischend in die Luft gefetzt, sie kerbten tiefe Rinnen in die See, die wie wahnsinnig wogte und im Kielwasser des Bootes schäumend wieder niedersank, als es durch die Bucht fegte.

Zaphod liebte die große Show: darin war er der Größte.

Er riß das Steuerrad scharf herum, das Boot schleuderte unter der Felswand in einer wilden sichelförmigen Bremsung herum, kam zum Stehen und tänzelte leicht auf den schaukelnden Wellen.

In Sekundenschnelle rannte Zaphod an Deck und winkte und grinste den über drei Billionen Leuten zu. Die drei Billionen Leute waren nicht tatsächlich da, aber sie verfolgten jede seiner Bewegungen über das Auge einer kleinen Robot-Tri-D-Kamera, die ganz in der Nähe unterwürfig in der Luft herumschwebte. Die Faxen des Präsidenten machten Tri-D stets erstaunlich populär: dazu waren sie auch da.

Er grinste wieder. Drei Billionen und sechs Leute hatten keine Ahnung, aber heute würde er noch verrücktere Faxen machen, als sie sich irgend jemand hätte träumen lassen.

Die Robot-Kamera rückte zu einer Großaufnahme des beliebteren seiner beiden Köpfe heran, und er winkte nochmal. Seinem Äußeren nach war er im großen und ganzen humanoid, von seinem Extrakopf und dem dritten Arm mal abgesehen. Seine blonden, zerzausten Haare standen in alle Richtungen vom Kopf ab, in seinen blauen Augen glimmte was durch und durch Undefinierbares, und seine Kinne waren fast immer unrasiert.

Eine sechs Meter hohe transparente Kugel glitt neben sein Boot; sie schaukelte und tanzte schimmernd in der gleißenden Sonne. In ihrem Inneren schwamm ein geräumiges halbrundes Sofa mit strahlend roten Lederpolstern: je mehr die Kugel schaukelte und tanzte, desto ruhiger stand das Sofa, unerschütterlich wie ein gepolsterter Fels. Wiederum alles nur wegen der großen Show.

Zaphod schritt durch die Wand der Kugel und machte es sich auf dem Sofa bequem. Zwei seiner Arme breitete er auf der Rückenlehne aus und mit dem dritten wischte er sich ein Stäubchen vom Knie. Seine Köpfe blickten lächelnd in die Runde; seine Füße legte er hoch. Jeden Augenblick, dachte er, müsse er losschreien.

Unter der Blase kochte das Wasser hoch, es schäumte und sprudelte. Die Kugel stieg in die Luft, sie schaukelte und tanzte auf der Fontäne. Höher und immer höher erhob sie sich und schleuderte Garben aus Licht auf die Klippe. Immer weiter stieg sie auf dem Strahl der Fontäne, das Wasser stürzte unter ihr zurück, es klatschte ins Meer, Hunderte von Metern unter ihr.

Zaphod mußte lächeln, als er sich in dieser Kugel vorstellte. Eine durch und durch lächerliche Art, sich fortzubewegen, aber durch und durch schön.

Auf dem Gipfel der Klippe zögerte die Kugel einen Augenblick, rollte weiter zu einer Schienenrampe und kullerte sie runter bis zu einer kleinen konkaven Plattform, wo sie ruckend zum Stehen kam.

Unter gewaltigem Applaus entstieg Zaphod der Blase, seine orangefarbene Schärpe funkelte im Licht.

Der Präsident der Galaxis war da.

Er wartete, bis der Applaus sich legte, dann erhob er grüßend die Hand.

»Hi«, sagte er.

Eine Regierungsspinne krabbelte zu ihm ran und versuchte, ihm einen Durchschlag der für ihn vorbereiteten Rede in die Hand zu drücken. Die Seiten drei bis sieben der Originalfassung schwammen im Moment durchweicht ungefähr fünf Meilen vor der Bucht im Damogran-Meer. Die Seiten eins und zwei waren von einem damogranischen Wedelhaubenadler gerettet und bereits einer außerordentlich neuen Nestkreation, die der Adler erfunden hatte, einverleibt worden. Das Nest war vorwiegend aus Papiermaché erbaut, und für ein frisch geschlüpftes Adlerjunges war es praktisch unmöglich, daraus auszubrechen. Der damogranische Wedelhaubenadler hatte vom Programm zur Rettung der Arten vernommen, wollte aber nichts damit zu tun haben.

Zaphod Beeblebrox würde seine wohlgesetzte Ansprache nicht brauchen, und dem Text, den ihm die Spinne hinhielt, wich er freundlich dankend aus.

»Hi«, sagte er wieder.

Alle strahlten ihn an, oder zumindest fast alle. Er entdeckte Trillian in der Menge. Trillian war ein Mädchen, das Zaphod vor kurzem aufgegabelt hatte, als er nur so zum Spaß und inkognito einen Planeten besucht hatte. Sie war schlank, dunkelhäutig, humanoid, hatte langes, welliges schwarzes Haar, volle Lippen, einen komischen kleinen Knopf als Nase und putzige braune Augen. Mit ihrem roten, auf ganz besondere Weise geknoteten Kopftuch und ihrem lang wallenden braunen Seidenkleid sah sie fast arabisch aus. Natürlich hatte niemand dort jemals was von

Arabern gehört. Die Araber hatten erst vor ganz kurzer Zeit zu existieren aufgehört, aber selbst, wenn es sie noch gegeben hätte, wären sie fünfhunderttausend Lichtjahre von Damogran entfernt gewesen. Trillian war niemand Besonderes, jedenfalls behauptete das Zaphod. Sie war nur ziemlich viel mit ihm unterwegs und sagte ihm, was sie von ihm hielt.

»Hallo, Honey«, sagte er zu ihr.

Sie blitzte ihm ein schnelles, kurzes Lächeln rüber und sah weg. Dann guckte sie einen Moment lang wieder zu ihm hin und lächelte herzlicher – mittlerweile aber sah er woanders hin.

»Hi«, sagte er zu einem kleinen Pulk von Pressekreaturen, die in der Nähe standen und sich wünschten, er würde mit seinem *Hi* aufhören und mit irgendwelchen Sprüchen loslegen. Er grinste sie auf ganz besondere Weise an, weil er wußte, was für einen irren Spruch er ihnen in wenigen Augenblicken servieren würde.

Mit dem, was Zaphod als nächstes sagte, konnten sie trotzdem noch nicht viel anfangen. Eines der Mitglieder des Komitees war gereizt zu dem Schluß gekommen, daß der Präsident ganz offensichtlich nicht in der Stimmung sei, die wundervoll formulierte Rede zu verlesen, die für ihn geschrieben worden war, und hatte auf den in seiner Tasche versteckten Schalter der Fernbedienung gedrückt. In einiger Entfernung vor ihnen zerriß der Länge nach eine gewaltige weiße Kuppel, die hoch in den Himmel ragte, zerfetzte und sank langsam in sich zusammen. Allen blieb der Atem weg, obwohl sie genau gewußt hatten, daß die Kuppel das machen würde, weil sie sie ja dafür gebaut hatten.

Darunter lag für alle sichtbar ein riesiges Raumschiff, hundertfünfzig Meter lang, wie ein glatter Turnschuh geformt, schneeweiß und zum Verrücktwerden schön. In seinem Herzen lag unsichtbar ein kleines goldenes Kästchen, das die raffinierteste Erfindung enthielt, die je gemacht wurde, eine Erfindung, die dieses Raumschiff zu etwas Einzigartigem in der Geschichte der Galaxis machte, eine Erfindung, die dem Raumschiff seinen Namen gab – »Herz aus Gold«.

»Wow«, sagte Zaphod Beeblebrox zur »Herz aus Gold«. Viel mehr konnte er nicht sagen.

Dann sagte er es nochmal, weil er wußte, das würde die Presse ärgern.

»Wow.«

Die Menge kehrte ihm erwartungsvoll die Gesichter zu. Er zwinkerte zu Trillian rüber, die die Augenbrauen hochzog und ihn mit großen Augen ansah. Sie wußte, was er im nächsten Augenblick sagen würde, und hielt ihn für einen wahnsinnigen Angeber.

»Es ist wirklich phantastisch«, sagte er. »Es ist wirklich ehrlich phantastisch. Es ist so phantastisch phantastisch, ich glaube, ich würde es gerne klauen.«

Ein wundervoller Präsidentenausspruch, absolut stilecht. Die Menge lachte anerkennend, die Zeitungsleute drückten erfreut auf die Knöpfe ihrer Sub-Etha-Report-Matics, und der Präsident grinste.

Während er grinste, schrie sein Herz verzweifelt auf, und er befühlte die kleine Paralyso-Matic-Bombe, die friedlich in seiner Tasche ruhte.

Schließlich hielt er es nicht mehr aus. Er erhob seine Köpfe zum Himmel, stieß ein wildes Kriegsgeheul aus Dur-Dreiklängen aus, warf die Bombe auf den Boden und rannte los – durch die Flut plötzlich eingefrorenen, strahlenden Lächelns.

Prostetnik Vogon Jeltz war kein erfreulicher Anblick, nicht mal für andere Vogonen. Seine hochgewölbte Nase erhob sich hoch über seine kleine Schweinestirn. Seine dunkelgrüne Gummihaut war so dick, daß er das Spiel des vogonischen Geheimdienstes beherrschte, und zwar souverän beherrschte, und sie war so wasserdicht, daß er ohne unangenehme Folgen in Wassertiefen bis zu dreihundert Metern unendlich lange überleben konnte.

Natürlich ging er niemals schwimmen. Sein vollgepfropfter Terminkalender hätte das nicht zugelassen. Er war so wie er war, weil er vor Billionen von Jahren, als die Vogonen aus den trägen Urmeeren von Vogsphäre gekrochen waren und schnaufend und keuchend an den jungfräulichen Gestaden des Planeten gelegen hatten . . . Als an jenem Morgen die ersten Strahlen der hellen jungen Sonne namens Vogsol sie beschien, da war es, als hätten die Mächte der Evolution sie dort und damals einfach aufgegeben, sich mit Schaudern von ihnen abgewandt und sie als einen gräßlichen und bedauerlichen Fehler abgeschrieben. Sie entwickelten sich nie mehr weiter: niemals hätten sie überleben dürfen.

Daß sie es trotzdem taten, verdanken sie gewissermaßen ihrer dickschädeligen, schwerfälligen Sturheit. *Evolution?* fragten sie sich. *Wozu denn?* Und was die Natur ihnen vorenthalten hatte, darauf verzichteten sie einfach, bis sie in der Lage waren, die größeren anatomischen Nachteile durch chirurgische Eingriffe zu korrigieren.

Inzwischen hatten die Naturkräfte auf dem Planeten Vogsphäre eifrig Überstunden gemacht, um ihre früheren Fehler wettzumachen. Sie brachten flinke, wie Edelsteine blinkende Krebse hervor, die die Vogonen fraßen, indem sie ihre Schalen mit Eisenhämmern zerschmetterten; hohe atmende Bäume von atemberaubender Schlankheit und Farbenpracht, die die Vogonen umhackten, um das Krebsfleisch darüber zu brutzeln; anmutige, gazellenhafte Geschöpfe mit seidigem Fell und feuchten Augen, die die Vogonen einfingen, um sich auf sie zu setzen. Sie waren als Beförderungsmittel aber unbrauchbar, weil ihre Rücken augenblicklich durchbrachen. Aber die Vogonen setzten sich trotzdem drauf.

So brachte der Planet Vogsphäre die traurigen Jahrtausende hin, bis die Vogonen plötzlich hinter die Grundbegriffe des interstellaren Reiseverkehrs kamen. Innerhalb weniger kurzer Vogjahre war auch der letzte Vogone zum Sternhaufen Megabrantis ausgewandert, dem politischen Zentrum der Galaxis, wo sie nun das ungeheuer einflußreiche Rückgrat des Geheimdienstes der Galaxis bildeten. Sie versuchten, sich Bildung anzueignen, sie versuchten, sich Stil und gesellschaftlichen Anstand anzueignen, aber in fast jeder Hinsicht unterscheidet sich der moderne Vogone von seinen primitiven Vorfahren nur geringfügig. Jedes Jahr importieren sie von ihrem Heimatplaneten siebenundzwanzigtausend flinke, wie Edelsteine blinkende Krebse und verbringen eine saufselige Nacht damit, sie mit Eisenhämmern zu zerschmettern.

Prostetnik Vogon Jeltz war insofern ein ziemlich typischer Vogone, als er durch und durch widerwärtig war. Außerdem mochte er keine Anhalter.

Irgendwo tief in den Eingeweiden von Prostetnik Vogon Jeltz' Flaggschiff flackerte in einer kleinen dunklen Kabine nervös ein kleines Streichholz. Der Besitzer des Streichholzes war kein Vogone, aber er wußte alles über sie und war mit Recht nervös. Sein Name war Ford Prefect.*

Er sah sich in der Kabine um, konnte aber nur sehr wenig sehen; seltsame monströse Schatten erhoben sich und tanzten im Licht der winzigen flackernden Flamme, aber es war alles still. Er hauchte den Dentrassis ein unhörbares Dankeschön zu. Die Dentrassis sind ein aufsässiger Vielfräßlerstamm, eine wilde, aber an-

---

* Ford Prefects eigentlicher Name ist nur in einem obskuren beteigeuzischen Dialekt auszusprechen, der seit der Großen Hrung-Explosions-Katastrophe im Gal./Sid./Jahr 03758 praktisch ausgestorben ist. Durch diese Katastrophe wurden auf Beteigeuze Sieben alle alten Praxibetel-Siedlungen vernichtet. Fords Vater war der einzige Mensch auf dem ganzen Planeten, der aufgrund eines merkwürdigen Zufalls, den er nie zufriedenstellend zu erklären vermochte, die Große Hrung-Explosions-Katastrophe überlebte. Überhaupt umgibt den ganzen Vorgang ein tiefes Geheimnis: denn in Wirklichkeit wußte niemand, was ein Hrung ist, noch, warum er ausgerechnet auf Beteigeuze Sieben explodieren mußte. Fords Vater, der jeden Schatten eines Verdachts, der unvermeidlich auf ihn fallen mußte,

genehme Horde, die die Vogonen erst kürzlich auf ihren großen Transportflotten als Kantinenpächter eingestellt hatten, und zwar unter der strikten Bedingung, völlig unter sich zu bleiben.

Das paßte den Dentrassis ausgezeichnet in den Kram, denn sie liebten das vogonische Geld, das eine der härtesten Währungen im Weltall ist, aber die Vogonen konnten sie nicht leiden. Nur ein verärgerter Vogone gefiel einem Dentrassi.

Allein dieser winzigen Information verdankte es Ford Prefect, daß er jetzt kein Wölkchen aus Wasserstoff, Ozon und Kohlenmonoxyd war.

Er hörte ein leises Stöhnen. Im Licht des Streichholzes sah er einen dunklen Schatten langsam über den Boden kriechen. Rasch machte er das Streichholz aus, griff in seine Tasche, fand, wonach er suchte, und nahm es heraus. Er riß es auf und schüttelte es. Er hockte sich auf den Boden. Wieder bewegte sich die Gestalt.

Ford Prefect sagte: »Ich hab'n paar Erdnüsse gekauft.«

Arthur Dent kroch weiter, stöhnte von neuem und murmelte irgendwas Unverständliches vor sich hin.

»Hier, nimm dir ein paar«, drängte ihn Ford und schüttelte die Tüte, »wenn du noch nie Stoffumwandlungsstrahlen abgekriegt hast, hast du wahrscheinlich etwas Salz und ein paar Proteine eingebüßt. Das Bier sollte deinen Kreislauf ein bißchen dämpfen.«

»Whhhrrrr . . .«, sagte Arthur Dent. Er öffnete die Augen.

---

mit einer großzügigen Handbewegung abtat, wohnte später auf Beteigeuze Fünf, wo er Ford ein liebevoller Vater und Onkel war. Zur Erinnerung an seine inzwischen ausgestorbene Rasse taufte er ihn in der alten Praxibetel-Sprache.

Da Ford nie lernte, seinen eigentlichen Namen auszusprechen, starb sein Vater kurz darauf vor Scham, die in einigen Teilen der Galaxis noch heute eine tödliche Krankheit ist. Die anderen Kinder in der Schule gaben ihm den Spitznamen Ix, was in der Sprache von Beteigeuze Fünf bedeutet: ›Der Junge, der nicht zufriedenstellend zu erklären vermag, was ein Hrung ist, noch, warum er ausgerechnet auf Beteigeuze Sieben explodieren mußte‹.

50

»Es ist dunkel«, sagte er.

»Ja«, sagte Ford Prefect, »es ist dunkel.«

»Kein Licht«, sagte Arthur Dent, »dunkel, kein Licht.«

Eins von den Dingen, die Ford Prefect an den Menschen immer sehr schwer begreiflich fand, war ihre Angewohnheit, sich das Allerselbstverständlichste ständig zu bestätigen und zu wiederholen. Zum Beispiel: *Schöner Tag heute* oder *Sie sind sehr groß* oder *Du meine Güte, Sie sehen aus, als wären Sie in einen zehn Meter tiefen Brunnen gefallen, geht's Ihnen gut?* Ford hatte sich eine Theorie zurechtgelegt, um für dieses merkwürdige Verhalten eine Erklärung zu finden. Wenn die Menschen ihre Lippen nicht ständig in Bewegung halten, dachte er, rosten sie wahrscheinlich ein. Nach ein paar Monaten Nachdenken und Beobachten gab er diese Theorie zugunsten einer neuen auf. Wenn sie ihre Lippen nicht ständig in Bewegung halten, dachte er, fangen ihre Gehirne an zu arbeiten. Nach einer Weile verwarf er auch diese Theorie, weil sie ihm allzu zynisch vorkam, und er gelangte zu dem Schluß, daß er die Menschen eigentlich ganz gern habe. Trotzdem trieb es ihn manchmal zur Verzweiflung, über wie wahnsinnig viele Dinge die Menschen überhaupt nichts wußten.

»Ja«, bestätigte er Arthur, »kein Licht.« Er schüttete Arthur ein paar Erdnüsse in die Hand. »Wie fühlst du dich?« fragte er ihn.

»Wie eine Bridgerunde«, sagte Arthur, »verschiedene Teile von mir passen einfach.«

Ford starrte ihn in der Dunkelheit verdutzt an.

»Wenn ich dich fragen würde, wo zum Teufel wir eigentlich sind«, sagte Arthur schwach, »würde ich das bedauern?«

Ford stand auf. »Wir sind in Sicherheit«, sagte er.

»Schön«, sagte Arthur.

»Wir sind in einer kleinen Kabine«, sagte Ford, »in einem der Raumschiffe der vogonischen Bauflotte.«

»Oje«, sagte Arthur, »das ist natürlich eine ziemlich merkwürdige Auffassung von *Sicherheit*, der bin ich bis jetzt noch nie begegnet.«

Ford zündete wieder ein Streichholz an in der Hoffnung, einen Lichtschalter zu finden. Wieder erhoben sich monströse Schatten und tanzten herum. Arthur rappelte sich hoch und hielt sich ängstlich fest. Bedrohliche, fremde Gestalten schienen ihn von allen Seiten zu umdrängen, die Luft war von Modergeruch erfüllt, der in seine Lungen kroch, ohne daß er feststellen konnte, woher er kam, und ein leises lästiges Summen hinderte sein Gehirn daran, sich zu konzentrieren.

»Wie sind wir denn hierhergekommen?« fragte er und zitterte ein bißchen.

»Per Anhalter«, sagte Ford.

»Wie bitte?« fragte Arthur. »Willst du mir vielleicht erzählen, wir hätten einfach unsere Daumen in die Luft gehalten, und irgendein insektenäugiges Monster hätte den Kopf rausgestreckt und gesagt: *Hallo Jungs, springt rein, ich kann euch bis zur Kreuzung in Basingstoke mitnehmen?*«

»Naja«, sagte Ford, »also der Daumen ist ein elektronischer Sub-Etha-Winker, die Kreuzung ist der Barnardstern, sechs Lichtjahre entfernt, aber sonst stimmt alles mehr oder weniger.«

»Und das insektenäugige Monster?«

»Ist grün, ja.«

»Na toll«, sagte Arthur, »wann kann ich wieder nach Hause?«

»Nie mehr«, sagte Ford Prefect und fand den Lichtschalter.

»Halt dir die Hand vor die Augen . . .«, sagte er und knipste das Licht an.

Selbst Ford war überrascht.

»Du meine Güte«, sagte Arthur, »ist das wirklich das Innere einer Fliegenden Untertasse?«

Prostetnik Vogon Jeltz schob seinen widerlichen grünen Leib in der Kommandozentrale herum. Nach der Zerstörung bevölkerter Planeten fühlte er sich immer ein bißchen gereizt. Er wünschte sich, es käme jemand und sagte ihm, alles sei ein Irrtum gewesen, damit er ihn anschreien könnte und sich besser fühlte. Er ließ sich, so schwer er konnte, in seinen Kommandosessel fallen und hoffte, er bräche zusammen und gäbe ihm somit einen Grund, wirklich wütend zu sein, aber der Sessel gab nur so etwas wie ein klagendes Ächzen von sich.

»Hau ab!« brüllte er einen jungen vogonischen Wachtposten an, der in dem Moment die Kommandozentrale betrat. Der Posten verschwand sofort wieder und war ziemlich erleichtert. Er war froh, daß jetzt nicht er es war, der die Meldung überbringen mußte, die sie gerade erhalten hatten. Die Meldung war eine offizielle Mitteilung, in der es hieß, daß in diesem Augenblick auf einem regierungseigenen Forschungsstützpunkt auf Damogran ein phantastischer neuer Raumschiffantrieb vorgestellt werde, der künftig alle Hyperraum-Expreßrouten überflüssig mache.

Eine andere Tür glitt auf, diesmal aber brüllte der Kommandant nicht, denn das war die Tür zum Kantinentrakt, wo die Dentrassis für ihn kochten. Eine Mahlzeit wäre ihm jetzt hoch willkommen.

Eine riesige pelzige Kreatur schob sich mit seinem Essenstablett durch die Tür. Sie grinste, als hätte sie nicht alle.

Prostetnik Vogon Jeltz war entzückt. Er wußte, wenn ein Dentrassi so zufrieden aussah, dann ging irgendwo in dem Raumschiff irgendwas vor sich, über das er wirklich sehr wütend werden könnte.

Ford und Arthur sahen sich erstaunt um.

»Na, wie findest du das?« fragte Ford.

»Es ist ein bißchen dreckig, nicht?«

Ford guckte finster auf die schmuddeligen Matratzen, die unabgewaschenen Tassen und die undefinierbaren Teile fremdartiger stinkender Unterwäsche, die in der engen Kabine rumlagen.

»Tja, das ist eben ein Arbeitsschiff«, sagte Ford. »Das hier sind die Schlafräume der Dentrassis.«

»Ich dachte, du hättest gesagt, sie hießen Vogonen oder so.«

»Ja«, sagte Ford, »die Vogonen haben das Kommando auf

dem Raumschiff, und die Dentrassis sind die Köche, sie haben uns an Bord gelassen.«

»Ich kapier überhaupt nichts mehr«, sagte Arthur.

»Hier, sieh dir das mal an«, sagte Ford. Er setzte sich auf eine der Matratzen und kramte in seinem Brustbeutel herum. Arthur klopfte nervös auf die Matratze und setzte sich dann auch darauf: er hatte wirklich kaum Grund, nervös zu sein, denn alle Matratzen, die in den Sümpfen von Sqornshellous Zeta wachsen, werden sehr sorgfältig getötet und getrocknet, bevor sie in Gebrauch genommen werden. Nur sehr wenige sind jemals wieder lebendig geworden.

Ford reichte Arthur das Buch rüber.

»Was ist das denn?« fragte Arthur.

»*Per Anhalter durch die Galaxis*. Das ist sowas wie ein elektronisches Buch. Es sagt einem alles, was man wissen muß. Dazu ist es da.«

Arthur drehte es nervös in seinen Händen.

»Der Umschlag gefällt mir«, sagte er. »*Keine Panik*. Das ist das erste hilfreiche oder vernünftige Wort, das ich heute gesagt bekomme.«

»Ich zeig dir, wie's funktioniert«, sagte Ford. Er schnappte es sich von Arthur, der es noch immer in der Hand hielt, als wär's ein zwei Wochen toter Sperling, und nahm es aus dem Schuber.

»Man drückt auf diesen Knopf hier, siehst du, dann leuchtet der Bildschirm auf und zeigt einem das Inhaltsverzeichnis.«

Ein ungefähr zehn mal zehn Zentimeter großer Bildschirm leuchtete auf, und Buchstaben begannen über seine Oberfläche zu flimmern.

»Wenn du etwas über die Vogonen wissen willst, gebe ich hier den Namen ein.« Seine Finger tippten auf ein paar weitere Knöpfe. »Und da haben wir sie schon.«

Die Worte *Vogonische Bauflotten* flimmerten grün über den Bildschirm.

Ford drückte auf einen großen roten Knopf unter dem Bildschirm, und Worte begannen darüber hinwegzuziehen. Zugleich sprach das Buch den Eintrag mit ruhiger und gemessener Stimme. Und das hier erzählte das Buch:

Vogonische Bauflotten. Was muß man tun, wenn man von einem Vogonen als Anhalter mitgenommen werden möchte? Man kann es sich aus dem Kopf schlagen. Sie sind eine der unausstehlichsten Rassen in der Galaxis – nicht direkt böse, aber mies gelaunt, bürokratisch, aufdringlich und gefühllos. Sie würden nicht mal den kleinen Finger rühren, um ihre eigene Großmutter vor dem Gefräßigen Plapperkäfer von Traal zu retten, ohne daß Anweisungen in dreifacher Ausfertigung unterschrieben, eingereicht, zurückgereicht, beanstandet, verloren, gefunden, einer öffentlichen Untersuchung unterworfen, wieder verloren und schließlich drei Monate in weichen Torf gesteckt und als Feueranzünder wiederverwendet werden.

Der beste Weg, von einem Vogonen einen Drink zu kriegen, ist, ihm den Finger in den Schlund zu stecken, und der beste Weg, ihn zu ärgern, ist, seine Großmutter an den Gefräßigen Plapperkäfer von Traal zu verfüttern.

Auf gar keinen Fall erlaube man einem Vogonen, daß er einem Gedichte vorliest.

Arthur blinzelte das Ding verwirrt an.

»Das ist aber ein komisches Buch. Wieso sind wir denn dann trotzdem als Anhalter mitgenommen worden?«

»Das ist es eben, das Buch ist inzwischen veraltet«, sagte Ford und ließ es wieder in seine Hülle gleiten. »Ich mache gerade die Feldforschung für die neue verbesserte Auflage, und eine meiner Aufgaben ist es, einen Nachtrag darüber zu schreiben, daß die Vogonen jetzt Dentrassi-Köche beschäftigen, was uns ja diesen ziemlich nützlichen kleinen Unterschlupf beschert hat.«

Ein gequälter Ausdruck huschte über Arthurs Gesicht. »Aber wer sind denn diese Dentrassis?« fragte er.

»Prima Kerle«, sagte Ford. »Die allerbesten Köche und Drink-Mixer, und um alles andere kümmern sie sich einen Dreck. Aber

Anhaltern helfen sie immer an Bord, einmal, weil sie gerne in Gesellschaft sind, vor allem aber, weil das die Vogonen ärgert. Und solche Dinge muß man halt wissen, wenn man als Anhalter ohne Piepen in der Tasche unterwegs ist und versucht, für weniger als dreißig Atair-Dollars pro Tag die Wunder der Galaxis zu Gesicht zu kriegen. Und genau das mache ich. Lustig, was?«

Arthur sah ihn hilflos an. »Das ist merkwürdig«, sagte er und guckte finster zu einer der anderen Matratzen rüber.

»Zu meinem Pech bin ich auf der Erde etwas länger hängengeblieben als ich vorhatte«, sagte Ford. »Ich kam für eine Woche und saß fünfzehn Jahre fest.«

»Aber wie bist du denn da überhaupt hingekommen?«

»Ganz einfach, ein Fopper hat mich mitgenommen.«

»Ein Fopper?«

»Ja.«

»Äh, was ist ein . . .«

»Ein Fopper? Foppers sind Kinder reicher Leute, die nichts zu tun haben. Sie zischen in der Gegend rum und suchen nach Planeten, die noch keine interstellaren Verbindungen haben, und besummen sie.«

»Besummen sie?« Arthur hatte langsam das Gefühl, Ford habe seinen Spaß dran, ihm das Leben schwer zu machen.

»Ja«, sagte Ford, »sie besummen sie. Sie suchen sich eine abgelegene Gegend mit wenigen Leuten drumrum, dann landen sie direkt vor den Augen irgend so eines nichtsahnenden Trottels, dem niemand jemals glauben wird, stolzieren mit albernen Antennen auf dem Kopf vor ihm auf und ab und machen *piep piep*. Ziemlich kindisch, wirklich.« Ford lehnte sich, die Hände hinter dem Kopf verschränkt, auf der Matratze zurück und sah aufreizend zufrieden mit sich aus.

»Ford«, beharrte Arthur, »ich weiß nicht, vielleicht klingt meine Frage dämlich, aber was tue ich eigentlich hier?«

»Aber das weißt du doch«, sagte Ford, »ich habe dich von der Erde gerettet.«

»Und was ist mit der Erde passiert?«

»Och, die wurde zerstört.«

»Ach ja«, sagte Arthur tonlos.

»Ja, sie ist einfach ins Weltall verdunstet.«

»Weißt du«, sagte Arthur, »das nimmt mich natürlich ein bißchen mit.«

Ford sah finster vor sich hin und schien den Gedanken im Geist herumzuwälzen.

»Ja, das kann ich verstehen«, sagte er schließlich.

»Verstehen«, schrie Arthur, »verstehen.«

Ford sprang auf.

»Schau fest auf dieses Buch«, zischte er beschwörend.

»Was?«

»*Keine Panik*.«

»Ich bin nicht in Panik.«

»Doch, das bist du.«

»Okay, ich bin in Panik, was soll ich denn sonst machen?«

»Du kommst einfach mit mir mit und amüsierst dich. Die Galaxis ist 'ne lustige Sache. Du mußt dir bloß diesen Fisch hier ins Ohr stecken.«

»Wie bitte?« fragte Arthur, ziemlich unhöflich, wie er fand.

Ford hielt ein kleines Glasgefäß in die Höhe, in dem gut sichtbar ein kleiner gelber Fisch rumzappelte. Arthur blinzelte zu Ford hinüber. Er wünschte sich, er fände was ganz Einfaches und Wiedererkennbares, an dem er sich festhalten könnte. Er hätte sich völlig sicher gefühlt, wenn er außer der Dentrassi-Unterwäsche, den Stapeln von Sqornshellous-Matratzen und dem Mann von Beteigeuze, der einen kleinen gelben Fisch in die Höhe hielt und ihn aufforderte, ihn sich ins Ohr zu stecken, auch ein kleines Cornflakes-Paket erblickt hätte. Aber er sah keins, und er fühlte sich nicht sicher.

Plötzlich überfiel sie ein Heidenlärm von irgendwoher, aber er kam nicht dahinter, von wo. Arthur blieb vor Schreck fast die Luft weg, denn was er da hörte, das klang wie ein Mann, der zu gurgeln versucht, während er mit einem Rudel Wölfe kämpft.

»Schschsch!« sagte Ford, »hör genau hin, es könnte wichtig sein.«

»Wwww...ichtig?«

»Das ist der Vogon-Kommandant, er macht eine Durchsage über den Bordsender.«

»Du meinst, so sprechen die Vogonen?«

»Hör zu!«

»Aber ich spreche doch kein Vogonisch.«

»Das brauchst du auch nicht. Steck dir einfach den Fisch ins Ohr.«

Mit einer blitzartigen Bewegung gab Ford Arthur einen Klaps aufs Ohr, und der fühlte ganz plötzlich voller Ekel, wie ihm der Fisch tief in den Gehörgang glitt. Er schnappte vor Schreck nach Luft und fummelte sich eine Sekunde oder so am Ohr rum, dann aber drehte er sich mit vor Erstaunen weit aufgerissenen Augen langsam um. Er erlebte das akustische Gegenstück zu der Erfahrung, die man macht, wenn man sich ein Bild mit zwei schwarzen Gesichtssilhouetten ansieht, aus denen plötzlich ein weißer Kerzenleuchter wird. Oder wenn man auf eine Menge bunter Punkte auf einem Stück Papier guckt, die sich plötzlich in eine Sechs verwandeln, was bedeutet, daß einem der Optiker eine Menge Geld für eine neue Brille abknöpfen wird.

Er hörte immer noch dem heulenden Gegurgel zu, das war ihm klar, nur hatte es jetzt irgendwie die Ähnlichkeit mit einem vollkommen leichtverständlichen Englisch.

Und folgendes hörte er...

6

Heul heul gurgel heul gurgel heul heul heul gurgel heul gurgel heul heul gurgel gurgel heul gurgel gurgel gurgel heul schlürrf aaaarchch sich amüsieren sollte. Wiederholung der Durchsage. Hier spricht der Kommandant, alle Mann Arbeit einstellen und herhören. Ich sehe an unseren Instrumenten, daß wir zwei Anhalter an Bord haben. Hallo, ihr beiden, egal, wo ihr steckt, ich will bloß unmißverständlich klarstellen, daß ihr absolut nicht willkommen seid. Ich habe hart gearbeitet, um dahin zu kommen, wo ich heute bin, und ich bin nicht Kommandant eines vogonischen Bauschiffs geworden, um es einfach als Taxiunternehmen für heruntergekommene Schwarzfahrer mißbrauchen zu lassen. Ich habe einen Suchtrupp ausgeschickt, und sobald man euch gefunden hat, schmeiße ich euch raus. Wenn ihr großes Glück habt, lese ich euch vorher vielleicht noch ein paar von meinen Gedichten vor.

Zweitens steigen wir in wenigen Augenblicken in den Hyperraum auf und fliegen zum Barnardstern. Nach unserer Ankunft bleiben wir für zweiundsiebzig Stunden im Ausbesserungsdock. Niemand verläßt in dieser Zeit das Schiff. Ich wiederhole, jeder Planetenurlaub ist gestrichen. Ich habe gerade eine unglückliche Liebesaffäre hinter mir, da sehe ich nicht ein, warum sich sonst jemand amüsieren sollte. Ende der Durchsage.«

Der Krach hörte auf.

Arthur entdeckte zu seinem Befremden, daß er, die Arme um den Kopf geschlungen, zu einem kleinen Ball zusammengerollt auf dem Boden lag. Er lächelte schwach.

»Reizendes Kerlchen«, sagte er, »ich wünschte, ich hätte eine Tochter, da könnte ich ihr verbieten, so einen zu heiraten . . .«

»Das brauchtest du gar nicht«, sagte Ford, »sie haben so viel Sexappeal wie ein Verkehrsunfall. Nein, beweg dich nicht«, fügte er hinzu, als Arthur sich langsam aufzurollen begann, »du stellst dich jetzt besser auf den Aufstieg in den Hyperraum ein. Das ist so unangenehm wie betrunken zu sein.«

»Was ist denn so unangenehm daran, betrunken zu sein?«

»Man sehnt sich nach einem Glas Wasser.«

Darüber dachte Arthur nach.

»Ford«, sagte er.

»Ja?«

»Was macht eigentlich der Fisch in meinem Ohr?«

»Er übersetzt für dich. Er ist ein Babelfisch. Schlag's im Buch nach, wenn's dir Spaß macht.«

Er schob ihm den Reiseführer *Per Anhalter durch die Galaxis* rüber, dann rollte er sich zu einer embryonalen Kugel zusammen und wartete auf den Aufstieg.

In diesem Augenblick fiel Arthur der Boden aus dem Hirn.

Seine Augen kehrten das Innere nach außen. Die Füße sickerten ihm allmählich durch die Schädeldecke.

Der Raum um ihn herum faltete sich flach zusammen, drehte sich um seine Achse, flutschte aus dem Sein und ließ Arthur in seinen eigenen Nabel gleiten.

Sie flogen gerade durch den Hyperraum.

»*Der Babelfisch*«, ließ der Reiseführer *Per Anhalter durch die Galaxis* mit ruhiger Stimme vernehmen, »*ist klein, gelb und blutegelartig und wahrscheinlich das Eigentümlichste, was es im ganzen Universum gibt. Er lebt von Gehirnströmen, die er nicht seinem jeweiligen Wirt, sondern seiner Umgebung entzieht. Er nimmt alle unbewußten Denkfrequenzen dieser Gehirnströme auf und ernährt sich von ihnen. Dann scheidet er ins Gehirn seines Wirtes eine telepathische Matrix aus, die sich aus den bewußten Denkfrequenzen und Nervensignalen der Sprachzentren des Gehirns zusammensetzt. Der praktische Nutzeffekt der Sache ist, daß man mit einem Babelfisch im Ohr augenblicklich alles versteht, was einem in irgendeiner Sprache gesagt wird. Die Sprachmuster, die man hört, werden durch die Gehirnstrommatrix ent-*

schlüsselt, die einem der Babelfisch ins Gehirn eingegeben hat.

Nun ist es aber verdammt unwahrscheinlich, daß sich etwas so wahnsinnig Nützliches rein zufällig entwickelt haben sollte, und so sind ein paar Denker zu dem Schluß gelangt, der Babelfisch sei ein letzter und entscheidender Beweis dafür, daß Gott nicht existiert.

Die Argumentation verläuft ungefähr so: »Ich weigere mich zu beweisen, daß ich existiere«, sagt Gott, »denn ein Beweis ist gegen den Glauben, und ohne Glauben bin ich nichts.«

»Aber«, sagt der Mensch, »der Babelfisch ist doch eine unbewußte Offenbarung, nicht wahr? Er hätte sich nicht zufällig entwickeln können. Er beweist, daß es dich gibt, und darum gibt es dich, deiner eigenen Argumentation zufolge, nicht. Quod erat demonstrandum.«

»Ach, du lieber Gott«, sagt Gott, »daran habe ich gar nicht gedacht«, und löst sich prompt in ein Logikwölkchen auf.

»Na, das war ja einfach«, sagt der Mensch und beweist, weil's gerade so schön war, daß schwarz gleich weiß ist, und kommt wenig später auf einem Zebrastreifen ums Leben.

Die meisten führenden Theologen behaupten, dieser ganze Streit sei absoluter Humbug, aber er hinderte Oolon Coluphid nicht, ein kleines Vermögen damit zu verdienen, daß er ihn zum zentralen Thema seines neusten Bestsellers Na, lieber Gott, das war's dann wohl machte.

Mittlerweile hat der arme Babelfisch dadurch, daß er alle Verständigungsbarrieren zwischen den verschiedenen Völkern und Kulturen niederriß, mehr und blutigere Kriege auf dem Gewissen als sonst jemand in der ganzen Geschichte der Schöpfung.

Arthur gab ein leises Stöhnen von sich. Er stellte mit Entsetzen fest, daß der Satz durch den Hyperraum ihn nicht getötet hatte. Nun war er sechs Lichtjahre von dem Ort entfernt, an dem sich die Erde befände, wenn es sie noch gegeben hätte.

Die Erde.

Visionen von ihr schwammen bis zum Überdruß durch seine

gereizten Sinne. Es überstieg seine Vorstellungskraft, die Auswirkung davon zu erfassen, daß die ganze Erde weg war, das war einfach zu viel. Er scheuchte seine Gefühle hoch, indem er sich vorstellte, daß es seine Eltern und seine Schwester nicht mehr gebe. Keine Reaktion. Er dachte an alle Leute, die ihm nahegestanden hatten. Keine Reaktion. Dann dachte er an einen völlig fremden Menschen, hinter dem er vor zwei Tagen in der Schlange im Supermarkt gestanden hatte, und fühlte plötzlich einen Stich – der Supermarkt war weg, alle darin waren weg. Die Nelsonsäule war weg! Die Nelsonsäule war weg, und es gab keinen entsetzten Aufschrei, weil einfach niemand mehr da war, der entsetzt aufschreien konnte. Von jetzt an existierte die Nelsonsäule nur noch in seiner Vorstellung, England existierte nur noch in seiner Vorstellung – die hier in diesem dumpfigen, stinkenden, stahlummantelten Raumschiff festsaß. Ein Anfall von Klaustrophobie überkam ihn.

England gab es nicht mehr. Das hatte er kapiert – irgendwie hatte er's kapiert. Er versuchte es nochmal. Amerika, dachte er, ist weg. Er kriegte es nicht in seinen Kopf. Er beschloß, wieder kleiner anzufangen. New York ist weg. Keine Reaktion. Er hatte sowieso nie im Ernst geglaubt, daß es existiere. Der Dollar, dachte er, ist für immer gefallen. Hier gab's ein leichtes Zittern. Alle Bogart-Filme sind futsch, sagte er sich, und das versetzte ihm einen grauenhaften Schlag. McDonald's, dachte er.

Nie wieder wird es sowas wie einen McDonald's-Hamburger geben.

Da kippte er ohnmächtig um. Als er einen Augenblick später wieder zu sich kam, bemerkte er, daß er nach seiner Mutter schluchzte.

Mit einem Satz war er auf den Beinen.

»Ford!«

Ford sah auf; er saß in einer Ecke und summte vor sich hin. Das eigentliche Durch-den-Weltraum-Fahren fand er bei einer Weltraumfahrt immer ziemlich quälend.

»Jaa?« sagte er.

»Wenn du Feldforschung für dieses Buchdingsda machst und auf der Erde gewesen bist, mußt du doch Material über sie gesammelt haben.«

»Tja, also ich konnte den ursprünglichen Eintrag ein bißchen erweitern, ja.«

»Dann laß mich doch mal sehen, wie er in dieser Auflage lautet, das muß ich unbedingt sehen.«

»Ja, natürlich.« Er reichte ihm das Buch wieder rüber.

Arthur riß es an sich und versuchte, seine Hände am Zittern zu hindern. Er tippte die Nennung für die betreffende Seite ein. Der Bildschirm leuchtete auf, flimmerte und zeigte schließlich eine Buchseite. Arthur starrte drauf.

»Da steht ja gar nichts«, rief er.

Ford sah ihm über die Schulter.

»Doch doch«, sagte er, »da unten, ganz am unteren Bildschirmrand, genau unter *Eccentrica Gallumbits, die dreibrüstige Hure von Erotikon Sechs*.«

Arthur folgte Fords Finger und sah, auf was er zeigte. Einen Moment lang registrierte er es immer noch nicht, dann ging er fast in die Luft.

»Was? *Harmlos?* Mehr gibt's darüber nicht zu sagen? *Harmlos!* Ein einziges Wort!«

Ford zuckte die Achseln.

»Tja, es gibt hundert Billionen Sterne in der Galaxis, und die Kapazität der Mikroprozessoren des Buches ist nur begrenzt«, sagte er, »und natürlich wußte kaum jemand was von der Erde.«

»Du hast das doch hoffentlich um Gottes willen ein bißchen korrigieren können.«

»O ja, ich habe dem Herausgeber einen neuen Artikel geschickt. Er mußte ihn natürlich ein bißchen kürzen, aber er stellt immer noch eine Verbesserung dar.«

»Und was steht jetzt drin?« fragte Arthur.

»*Größtenteils harmlos*«, sagte Ford und hüstelte verlegen.

»*Größtenteils harmlos!*« rief Arthur.

»Was war das für ein Krach?« flüsterte Ford.

»Das war ich, ich hab geschrien«, schrie Arthur.

»Nein! Halt doch mal den Mund!« sagte Ford. »Ich glaube, wir sitzen in der Tinte.«

»*Du* glaubst, wir sitzen in der Tinte!«

Vor der Tür waren laut und deutlich Marschtritte zu hören.

»Die Dentrassis?« flüsterte Arthur.

»Nein, das sind Stiefel mit Stahlkappen«, sagte Ford.

Es wurde heftig gegen die Tür gebummert.

»Wer ist es denn dann?« fragte Arthur.

»Tja«, sagte Ford, »wenn wir Glück haben, sind es bloß die Vogonen, die uns in den Weltraum werfen wollen.«

»Und wenn wir kein Glück haben?«

»Wenn wir kein Glück haben«, sagte Ford grimmig, »könnte der Kommandant seine Drohung wahrmachen, und uns erst noch ein paar von seinen Gedichten vorlesen . . .«

7

Die vogonische Dichtkunst ist nämlich die drittschlechteste im Universum.

Die zweitschlechteste ist die der Asgothen von Kria. Während der Rezitation des Gedichts »Ode an einen kleinen grünen Kittklumpen, den ich eines Sommermorgens in meiner Achselhöhle fand« durch ihren Dichterfürsten Grunthos den Aufgeblasenen starben vier seiner Zuhörer an inneren Blutungen, und der Präsident des Mittelgalaktischen Kunstklau-Beirats kam nur deshalb mit dem Leben davon, weil er sich eines seiner Beine abknabberte. Grunthos soll von der Wirkung seines Gedichts »enttäuscht« gewesen sein und wollte gerade mit der Lesung seines zwölfbändigen Epos *Meine Lieblingsgluckser zur Badezeit* beginnen, als in einem verzweifelten Versuch, Leben und Kultur zu retten, der Dickdarm des Dichters sich durch den Hals nach oben stülpte und das Gehirn erwürgte.

Die allerschlechteste aller Dichtungen ging zusammen mit ihrer Schöpferin, Paula Nancy Millstone-Jennings aus Greenbridge, Essex, England, bei der Vernichtung des Planeten Erde unter.

Prostetnik Vogon Jeltz lächelte sehr langsam. Und das nicht so sehr der Wirkung wegen, sondern weil er sich an die Reihenfolge der verschiedenen Muskelbewegungen beim Lächeln zu erinnern versuchte. Er hatte seine Gefangenen mit einem furchtbar therapeutischen Urschrei traktiert und fühlte sich jetzt ganz entspannt und zu einer kleinen Gefühlsrohheit bereit.

Die Gefangenen saßen auf Poesiewürdigungsstühlen – festgeschnallt. Die Vogonen gaben sich, was die allgemeine Wertschätzung ihrer Werke betraf, keinen Illusionen hin. Ihre frühen Kompositionsversuche waren als Teil eines gewalttätigen Beharrens darauf anzusehen, als vollständig entwickelte und kultivierte Rasse akzeptiert zu werden, jetzt aber trieb sie nur noch reine Mordgier.

Kalter Schweiß stand Ford Prefect auf der Stirn und rann um die Elektroden herum, die an seinen Schläfen befestigt waren. Die Elektroden waren mit einer ganzen Batterie elektronischer Apparaturen verbunden – Bildverstärkern, Rhythmusmodulatoren, Alliterationsverwertern und Gleichniskippen –, die alle dazu dienten, das Erlebnis des Gedichts zu steigern und sicherzustellen, daß auch nicht die kleinste Nuance des dichterischen Gedankens verlorenging.

Arthur Dent saß da und zitterte. Er konnte sich nicht vorstellen, was auf ihn zukam, wußte aber, daß ihm nichts von alldem, was bisher passiert war, gefallen hatte, und glaubte deshalb auch nicht, daß sich daran irgendwas ändern würde.

Der Vogone fing an zu lesen – eine mistige kurze Passage seines Machwerks.

»*Oh zerfrettelter Grunzwanzling . . .*« begann er. Krämpfe gingen zuckend durch Fords Körper – das war schlimmer, als selbst er es sich vorgestellt hatte.

». *. . dein Harngedränge ist für mich / Wie Schnatterfleck auf Bienenstich.*«

»Aaaaaaaarrrchchchchch!« machte Ford Prefect und warf seinen Kopf zurück, den Schmerzwellen durchpochten. Undeutlich konnte er Arthur neben sich wahrnehmen, der auf seinen Stuhl gefläzt dasaß und sich nachlässig räkelte. Er biß die Zähne zusammen.

»*Grupp, ich beschwöre dich*«, fuhr erbarmungslos der Vogone fort, »*mein punzig Turteldrom.*«

Seine Stimme schraubte sich zu grauenhaft erregter Schärfe hoch. »*Und drängel reifig mich mit krinklen Bındelwördeln / Denn sonst werd ich dich rändern in deine Gobberwarzen / Mit meinem Börgelkranze, wart's nur ab!*«

»Nnnnnnnnnaaaaaiiiiiiiiiinnnnrrrrrrchchchchch!« schrie Ford Prefect in einer allerletzten Zuckung, als die elektronische Verstärkung der letzten Zeile ihm mit Volldampf durch die Schläfen fetzte. Ihm wurde schwarz vor Augen.

Arthur räkelte sich.

»Also, Erdlinge . . .«, schnarrte der Vogone (er wußte nicht, daß Ford Prefect in Wirklichkeit von einem kleinen Planeten irgendwo in der Nähe von Beteigeuze stammte, und wenn er es gewußt hätte, wär's ihm auch wurscht gewesen), »ich stelle euch vor eine einfache Wahl! Entweder ihr sterbt in der luftleeren Weite des Raums, oder . . .«, er machte der melodramatischen Wirkung wegen eine Pause, »ihr sagt mir, wie gut euch mein Gedicht gefallen hat!«

Er schmiß sich in einen riesigen ledernen Fledermaussessel und sah sie gespannt an. Er setzte wieder sein Lächeln auf.

Ford rang keuchend nach Atem. Er wälzte seine trockene Zunge in der ausgedörrten Mundhöhle herum und stöhnte.

Arthur sagte fröhlich: »Eigentlich gefiel's mir ganz gut.«

Ford drehte sich um und starrte ihn fassungslos an. Hier tat sich eine Möglichkeit auf, an die er einfach nicht gedacht hatte.

Der Vogone zog überrascht eine Augenbraue hoch, was höchst wirkungsvoll seine Nase verdeckte und also gar nicht übel war.

»Oh schön . . .«, schnarrte er sichtlich überrascht.

»Oh ja«, sagte Arthur, »ich fand einiges von der metaphysischen Bildsprache wirklich außerordentlich wirkungsvoll.«

Ford starrte ihn noch immer an, während er sich langsam mit diesem völlig neuen Gedanken vertraut machte. Sollte es ihnen tatsächlich gelingen, sich aus dieser Situation rauszuwinden?

»Ja, sprich weiter . . .«, forderte ihn der Vogone auf.

»Oh . . . und äh . . . auch die interessanten rhythmischen Erfindungen«, fuhr Arthur fort, »die sich scheinbar im Gegensatz befinden zum . . . äh . . . äh . . .«, quälte er sich rum.

Ford sprang ihm, alles auf eine Karte setzend, bei: ». . . zum Surrealismus der Grundmetapher der . . . äh . . .«

Auch er wußte nicht weiter, doch Arthur war schon wieder startklar.

». . . Humanität der . . .«

»*Vogonität*«, zischte Ford ihm zu.

»Ja genau, der Vogonität (pardon) der mitfühlenden Dichterseele«, Arthur fühlte, jetzt war er auf der Zielgeraden, »der es mittels der Versstruktur gelingt, dieses zu sublimieren, jenes zu transzendieren und die fundamentalen Dichotomien miteinander zu verbinden«, (er erreichte ein triumphales Crescendo), »so daß man einen tiefen und nachhaltigen Einblick in . . . in . . . äh . . .«, (aber der kam ihm plötzlich wieder abhanden). Ford eilte ihm mit dem *coup de grâce* zu Hilfe: ». . . in alles erhält, worum es in dem Gedicht geht!« schrie er. Und leise aus dem Mundwinkel: »Gut gemacht, Arthur, das war sehr gut.«

Der Vogone sah sie aufmerksam an. Einen Moment lang war seine verbitterte Rassistenseele gerührt gewesen, aber nein, dachte er – zu wenig, zu spät. Seine Stimme hörte sich plötzlich an wie eine Katze, die Nylonstrümpfe zerfetzt.

»Ihr wollt also damit sagen, daß ich Gedichte schreibe, weil ich mich hinter meinem erbärmlichen, teilnahmslosen und hartherzigen Äußeren einfach nach Liebe sehne«, sagte er. Er machte eine Pause. »Habe ich recht?«

Ford brachte ein nervöses Lachen zustande. »Naja, ich meine . . . ja«, sagte er, »sehnen wir uns nicht alle, tief in uns, nicht wahr . . . äh . . .«

Der Vogone erhob sich.

»Nein. Da irrt ihr euch vollkommen«, sagte er. »Ich schreibe Gedichte, nur um auf mein erbärmliches, teilnahmsloses und hartherziges Äußeres ausdrücklich hinzuweisen. Auf der Stelle lasse ich euch aus dem Raumschiff werfen. Wache! Bring die Gefangenen zur Druckschleuse Drei und schmeiß sie raus!«

»Was?« schrie Ford.

Ein riesiger junger vogonischer Wachtposten trat ein und zerrte sie mit seinen gewaltigen Speckarmen aus den Gurten.

»Sie können uns doch nicht einfach in den Weltraum werfen lassen«, schrie Ford, »wir sind dabei, ein Buch zu schreiben.«

»Widerstand ist zwecklos«, brüllte ihn der vogonische Wachtposten an. Das war der erste Satz, den er gelernt hatte, als er in das Vogonische Wachbataillon eingetreten war.

Der Kommandant beobachtete das mit gleichgültigem Vergnügen und wandte sich ab.

Arthur sah sich wütend um.

»Ich will nicht ausgerechnet jetzt sterben«, schrie er. »Ich hab immer noch Kopfschmerzen. Und ich will nicht mit Kopfschmerzen in den Himmel kommen. Da wär ich schlecht gelaunt und hätte überhaupt keinen Spaß an der Sache!«

Der Posten packte sie beide fest am Nacken, verbeugte sich ehrerbietig vor dem Hinterteil seines Kommandanten und zerrte die sich Sträubenden aus der Kommandozentrale. Eine Stahltür schloß sich, und der Kommandant war wieder allein. Er summte in Gedanken versunken leise vor sich hin, während er gedankenverloren in dem Notizbuch mit seinen Gedichten blätterte.

»Hmmm«, sagte er, »*im Gegensatz zum Surrealismus der Grundmetapher . . .*« Er dachte einen Augenblick darüber nach, dann klappte er das Buch mit grimmigem Lächeln zu.

»Der Tod ist wirklich noch zu gut für sie«, sagte er.

Der lange stählerne Korridor hallte von den hilflosen Befreiungsversuchen der beiden Humanoiden wider, die fest in den gummiartigen Achselhöhlen des Vogonen klemmten.

»Na, fabelhaft«, stieß Arthur hervor, »einfach phantastisch. Laß mich los, du Scheusal!«

Der vogonische Wachtposten schleppte sie weiter.

»Nur keine Bange«, sagte Ford, »mir fällt schon noch was ein.« Er hörte sich nicht sehr zuversichtlich an.

»Widerstand ist zwecklos!« bellte der Posten.

»Sag doch nicht sowas«, stammelte Ford. »Wie soll man sich denn seine positive Einstellung bewahren, wenn du solche Sachen sagst?«

»Großer Gott«, jammerte Arthur, »du quatschst von positiver Einstellung, dabei ist dir heute noch nicht mal dein Planet kaputtgemacht worden. Als ich heute morgen aufwachte, dachte ich, ich hätte einen schönen ruhigen Tag vor mir, könnte ein bißchen lesen, den Hund bürsten . . . Jetzt ist es gerade mal vier Uhr nachmittags vorbei, und da werde ich bereits aus einem fremden Raumschiff geworfen, und das auch noch sechs Lichtjahre entfernt von den qualmenden Überresten der Erde!« Er stotterte und würgte, als der Vogone seinen Griff verstärkte.

»Ist ja gut«, sagte Ford, »nur keine Panik.«

»Wer hat denn was von Panik gesagt?« schnappte Arthur zurück. »Das ist doch bloß der Kulturschock. Wart's ab, bis ich mich mit der Situation befreundet habe und wieder weiß, wo's langgeht. *Dann* fange ich an, Panik zu kriegen.

»Arthur, langsam wirst du hysterisch. Halt doch mal die Klappe!« Ford versuchte verzweifelt nachzudenken, wurde aber von dem Posten unterbrochen, der wieder losbrüllte.

»Widerstand ist zwecklos!«

»Und du kannst ebenfalls deine Klappe halten!« kläffte Ford.

»Widerstand ist zwecklos!«

»Ach, hör doch auf«, sagte Ford. Er drehte seinen Kopf, so daß er seinem Bewacher direkt ins Gesicht sehen konnte. Ihm kam eine Idee.

»Macht dir sowas denn wirklich Spaß?« fragte er plötzlich.

Der Vogone blieb stehen, und der Ausdruck grenzenloser Blödheit verbreitete sich langsam über sein Gesicht.

»Spaß?« dröhnte er. »Wie meinst du das?«

»Ich meine«, sagte Ford, »macht dich das so richtig zufrieden? Rumstampfen, rumbrüllen und Leute aus Raumschiffen schmeißen . . .«

Der Vogone starrte zu der niedrigen Stahldecke hoch und runzelte die Stirn, daß sich seine Augenbrauen beinahe überschlugen. Der Mund stand ihm offen. Endlich sagte er: »Also, die Arbeitsstunden finde ich okay . . .«

»Das ist ja wohl das wenigste«, stimmte ihm Ford zu.

Arthur drehte den Kopf, so daß er Ford sehen konnte.

»Ford, was soll das denn?« flüsterte er erstaunt.

»Och, ich versuche halt, mich für meine Umgebung zu interessieren, wenn du nichts dagegen hast«, sagte er. »So, die Arbeitsstunden findest du also ganz okay?« nahm er das Gespräch wieder auf.

Der Vogone starrte auf ihn runter, während seine schwerfälligen Gedanken sich in trüben Abgründen herummühten.

»Tjaaa«, sagte er, »aber jetzt, wo du mich drauf bringst, finde ich die meisten Arbeitsminuten ziemlich mies. Nur . . .«, er dachte wieder nach, was einen Blick an die Decke nötig machte, »nur das Brüllen mag ich zum Teil ganz gern.« Er pumpte seine Lungen auf und bellte: »Widerstand ist . . .«

»Ja klar«, unterbrach Ford ihn hastig, »das kannst du prima, ich weiß. Aber wenn du das meiste ziemlich mies findest«, sagte er

70

langsam, um jedes Wort wirken zu lassen, »warum tust du's dann? Was ist es denn? Die Mädchen? Das Leder? Kommst du dir dabei besonders männlich vor? Oder meinst du, es ist interessant genug, um mit der geistlosen Langeweile fertigzuwerden?«

Arthur guckte verdattert von einem zum andern.

»Äh . . .«, sagte der Posten, »äh . . . äh . . . weißichnich. Ich glaube, ich mach es . . . halt einfach so. Meine Tante hat gesagt, Raumschiffwache wär ein prima Beruf für einen jungen Vogonen – verstehst du, die Uniform, der schicke Gürtel für den Betäubungsstrahler, die geistlose Langeweile . . .«

»Da siehst du's, Arthur«, sagte Ford mit der Miene von jemandem, der zum Schluß seiner Beweisführung gekommen ist, »und du glaubst, du hättest Probleme.«

Arthur meinte schon, die hätte er. Von dieser unerfreulichen Geschichte mit seinem Heimatplaneten mal abgesehen, hatte der vogonische Wachtposten ihn bereits halb erdrosselt, und die Aussicht, ins Weltall geworfen zu werden, schmeckte ihm auch nicht besonders.

»Versuch doch mal, *seine* Probleme zu verstehen«, beharrte Ford. »Versetz dich mal in diesen armen Kerl, seine ganze Lebensaufgabe besteht darin, rumzutrampeln und Leute aus Raumschiffen zu schmeißen . . .«

»Und rumzubrüllen«, setzte der Wachtposten hinzu.

»Und rumzubrüllen, klar«, sagte Ford und klopfte freundlich herablassend auf den Speckarm, der sich um seinen Hals geklemmt hatte.

»Und er weiß nicht mal, warum er's tut!«

Arthur mußte zugeben, daß das sehr traurig sei. Er tat das mit einer kleinen hilflosen Geste, denn zum Sprechen fehlte ihm die Luft.

Von dem Posten war ein verwirrtes tiefes Brummeln zu vernehmen.

»Naja, wenn du's so hinstellst, nehme ich an . . .«

»Doch, lieber Freund«, ermunterte ihn Ford.

»Na schön«, ging das Brummeln weiter, »wie lautet denn dann die Alternative?«

»Jaaa«, sagte Ford heiter, aber bedächtig, »damit aufhören, natürlich! Sag ihnen«, fuhr er fort, »du machst einfach nicht mehr mit.« Er hatte das Gefühl, er müßte noch ein paar Worte hinzufügen, aber für den Moment schien der Wachtposten den Kopf mit Gedanken voll genug zu haben.

»Ääääähhhhhhhhhhmmmmmmmmmmmmmmmmmmmmmmmmmmmmmmmmmm. . .«, sagte der Posten, »äähhmmm, naja, das hört sich aber nicht sehr toll an.«

Ford merkte plötzlich, wie ihm die Situation entglitt.

»Nun mal langsam«, sagte er, »das ist doch erst der Anfang, da hängt noch viel mehr dran als du denkst . . .«

Aber in dem Moment verstärkte der Wachtposten wieder seine Umklammerung und setzte sein ursprüngliches Vorhaben fort, nämlich die Gefangenen zur Druckschleuse zu schleppen. Er war offenbar ziemlich aufgeregt.

»Nein, ich meine, wenn's euch sowieso egal ist«, sagte er, »steck ich euch eben in die Druckschleuse und brüll irgendwo noch ein bißchen weiter.«

Ford Prefect war es absolut nicht egal.

»Also, komm . . . hör doch mal zu«, sagte Ford, weniger bedächtig, weniger heiter.

»Huuchchchchchnnnnnnnnnn. . .«, sagte Arthur nicht besonders wohltönend.

»Warte doch mal«, redete Ford weiter, »ich muß dir doch noch von der Musik und der Kunst und von vielem anderen erzählen! Aaarrchchch!«

»Widerstand ist zwecklos!« brüllte der Wachtposten und fügte hinzu: »Seht mal, wenn ich weitermache, kann ich noch Oberbrülloffizier werden, freie Stellen für Nichtbrülloffiziere, die keine Leute rumschubsen, gibt's normalerweise kaum. Und darum meine ich, ich bleib am besten bei dem, was ich kann.«

Sie waren inzwischen bei der Schleuse angekommen – einer

großen, runden, massiven, schweren Stahlluke, die in die Innen-
haut des Raumschiffs eingelassen war. Der Posten bediente einen
Schalter, und die Luke glitt lautlos auf.

»Vielen Dank für euer Interesse«, sagte der vogonische Wachtposten, »macht's gut.« Er stieß Ford und Arthur durch die Luke in
die kleine Schleusenkammer. Arthur lag nach Luft schnappend
am Boden. Ford kroch herum und versuchte vergeblich, die Schultern gegen die sich schließende Schleusentür zu stemmen.

»Hör doch mal«, rief er dem Posten zu, »es gibt noch so vieles,
von dem du überhaupt nichts weißt . . . hier, wie ist es zum Beispiel damit?« Verzweifelt griff er nach dem erstbesten Stück Kultur, das ihm einfiel – er summte den ersten Takt von Beethovens
Fünfter.

»*Dádadadúmm!* Berührt dich das nicht irgendwo?«

»Nein«, sagte der Posten, »nicht besonders. Aber ich werd's
meiner Tante vorsummen.«

Wenn er danach noch was gesagt haben sollte, ging es unter.
Die Luke schloß sich, und jedes Geräusch bis auf das schwache,
ferne Summen der Raumschifftriebwerke, verstummte.

Sie befanden sich in einer auf Hochglanz polierten zylinderför-
migen Kammer von ungefähr zwei Metern Durchmesser und drei
Metern Länge.

Ford sah sich keuchend um.

»Ich dachte, es wär was aus ihm zu machen«, sagte er und ließ
sich gegen die gewölbte Wand fallen.

Arthur lag noch immer so in der Fußbodenbauchung, wie er
hingefallen war. Er sah nicht auf. Er lag einfach da und keuchte.

»Jetzt sitzen wir in der Tinte, gell?«

»Ja«, sagte Ford, »wir sitzen in der Tinte.«

»Und wolltest du dir nichts einfallen lassen? Ich dachte, du hättest gesagt, du wolltest dir was einfallen lassen. Aber vielleicht ist
dir sogar was eingefallen, und ich hab's bloß nicht bemerkt.«

»O doch, ich habe mir was einfallen lassen«, keuchte Ford. Arthur blickte erwartungsvoll nach oben.

»Aber leider«, sagte Ford, »müßten wir dazu auf der anderen Seite dieser luftdichten Luke sein.« Er trat gegen die Tür, durch die man sie soeben geworfen hatte.

»War's denn wenigstens eine gute Idee?«

»O ja, 'ne sehr pfiffige.«

»Und wie ging sie?«

»Naja, mit den Detailfragen hatte ich mich noch nicht beschäftigt. Hat ja jetzt auch nicht mehr viel Sinn, nicht?«

»Und . . . äh, was passiert jetzt?« fragte Arthur.

»Och, äh . . . tja, die Luke vor uns wird sich gleich automatisch öffnen, wir sausen in den Weltraum hinaus, nehme ich an, und ersticken. Wenn du vorher noch mal tief Luft holst, hältst du's natürlich bis zu dreißig Sekunden aus . . .«, sagte Ford. Er verschränkte die Hände hinter seinem Rücken, zog die Augenbrauen hoch und begann, einen alten beteigeuzischen Schlachtgesang zu summen. Arthur erschien er mit einemmal sehr fremd.

»Das war's dann also«, sagte Arthur. »Wir sterben.«

»Ja«, sagte Ford, »es sei denn . . . Nein! Warte mal!« Er hechtete sich plötzlich quer durch die Kammer und griff nach etwas, was sich hinter Arthur befand. »Was ist denn das für ein Schalter?« schrie er.

»Was? Wo denn?« rief Arthur und fuhr herum.

»Nein, ich hab nur 'n Witz gemacht«, sagte Ford, »wir müssen sterben.«

Er ließ sich wieder gegen die Wand plumpsen und summte die Melodie weiter, wo er sie unterbrochen hatte.

»Weißt du«, sagte Arthur, »in Augenblicken wie jetzt, wo ich mit einem Mann von Beteigeuze in einer vogonischen Druckschleuse gefangen sitze und jeden Moment tief im Weltraum an Erstickung sterben muß, da wünsche ich mir wirklich, ich hätte auf meine Mutter gehört, als ich noch klein war.«

»Wieso, was hat sie dir denn gesagt?«

»Ich weiß es nicht, ich hab nicht zugehört.«

»Oh.« Ford summte weiter.

»Das ist doch der reine Irrsinn«, dachte Arthur bei sich, »die Nelsonsäule ist weg, McDonald's ist weg, alles, was noch da ist, bin ich und die Worte *Größtenteils harmlos*. Jeden Augenblick wird alles weg sein, bis auf die Worte *Größtenteils harmlos*. Und gestern noch schien alles auf dem Planeten so prima in Ordnung zu sein.«

Ein Motor surrte.

Ein leises Zischen schwoll zu einem ohrenbetäubenden Rauschen der entweichenden Luft an, als sich die äußere Luke auf die leere Schwärze öffnete, die mit winzigen, unglaublich hellen Lichtpünktchen übersät war. Ford und Arthur schossen in den Weltraum hinaus wie Korken aus einem Spielzeuggewehr.

Der Reiseführer Per Anhalter durch die Galaxis *ist ein wirklich sehr interessantes Buch. Er ist über viele Jahre von vielen verschiedenen Redakteuren zusammengetragen und viele Male umgearbeitet worden. Er enthält die Beiträge unzähliger Reisender und Forscher.*

Die Einleitung beginnt folgendermaßen:

»Der Weltraum«, *heißt es da,* »ist groß. Verdammt groß. Du kannst dir einfach nicht vorstellen, wie groß, gigantisch, wahnsinnig riesenhaft der Weltraum ist. Du glaubst vielleicht, die Straße runter bis zur Drogerie ist es eine ganz schöne Ecke, aber das ist einfach ein Klacks, verglichen mit dem Weltraum. Paß mal auf . . .« *und so weiter.*

(Nach einer Weile beruhigt sich das Buch stilistisch ein bißchen und berichtet nun von Dingen, die man wirklich wissen muß, wie zum Beispiel die Geschichte von dem sagenhaft schönen Planeten Bethselamin, der über seinen immer rapideren Gewichtsschwund, an dem zehn Billionen hungrige Touristen jährlich

schuld sind, dermaßen beunruhigt ist, daß einem der Nettounterschied zwischen der Menge, die man ißt, und der Menge, die man während des Aufenthalts auf dem Planeten wieder ausscheidet, vor der Abreise vom Körpergewicht chirurgisch abgezogen wird: deshalb ist es so ungeheuer wichtig, sich jedesmal, wenn man auf die Toilette geht, eine Empfangsbestätigung geben zu lassen.)

Fairerweise muß jedoch gesagt werden, daß schon größere Geister als der für die Einleitung des Anhalters zuständige Redakteur angesichts der absoluten Ungeheuerlichkeit der Entfernungen zwischen den Sternen ins Stottern geraten sind. Einige fordern einen auf, sich mal einen Moment lang eine Erdnuß in Reading und eine kleine Walnuß in Johannesburg vorzustellen, oder anderes so schwindelerregendes Zeug.

Tatsache ist, die interstellaren Entfernungen sprengen einfach die menschliche Vorstellungskraft.

Sogar das Licht, das sich so schnell bewegt, daß die meisten Rassen Tausende von Jahren brauchen, um dahinterzukommen, daß es sich überhaupt bewegt, braucht seine Zeit, um von einem Stern zum andern zu gelangen. Es benötigt acht Minuten vom Stern Sol bis dorthin, wo einmal die Erde war, und weitere vier Jahre, um den nächsten Sternennachbar von Sol, Alpha Proxima, zu erreichen.

Um ans andere Ende der Galaxis zu gelangen, zum Beispiel Damogran, braucht es etwas länger: fünfhunderttausend Jahre.

Der Rekord im Zurücklegen dieser Strecke per Anhalter liegt bei etwas unter fünf Jahren, aber dann kriegt man unterwegs nicht viel zu sehen.

Im Reiseführer *Per Anhalter durch die Galaxis* steht, man könne im absolut luftleeren Raum ungefähr dreißig Sekunden überleben, wenn man vorher tief Luft geholt hat. Weiter heißt es jedoch, daß, da der Weltraum nun mal so groß ist, die Chancen, innerhalb dieser dreißig Sekunden von einem anderen Raumschiff aufgelesen zu werden, eins zu zwei hoch zweihundertsiebenund-

sechzigtausendsiebenhundertneun stehen.

Aufgrund eines total irrwitzigen Zufalls ist das auch die Telefonnummer einer Wohnung in Islington, wo Arthur einmal auf einer wirklich duften Party einem wirklich sehr netten Mädchen begegnete, an das er einfach nicht rankam – sie zog mit einem Kerl ab, der gar nicht eingeladen war.

Obwohl es den Planeten Erde, die Wohnung in Islington und das Telefon inzwischen nicht mehr gibt, ist die Vorstellung doch tröstlich, daß an sie auf gewissermaßen bescheidene Weise durch die Tatsache erinnert wird, daß Ford und Arthur neunundzwanzig Sekunden später tatsächlich gerettet wurden.

Ein Computer plapperte aufgeregt vor sich hin, als er bemerkte, wie sich eine Druckschleuse ohne erkennbaren Grund öffnete und wieder schloß.

Und er tat das, weil wirklich kein Grund erkennbar war.

Ein Loch hatte sich eben in der Galaxis geöffnet. Es war exakt ein Nichtsigstel einer Sekunde lang, ein Nichtsigstel eines Zentimeters breit und ziemlich viele Millionen Lichtjahre von einem Ende zum andern.

Als es sich wieder schloß, fielen jede Menge Papierhütchen und Lampions heraus und schwebten durch das Universum davon. Ebenso fiel eine Gruppe von sieben einen Meter großen Marktanalytikern aus dem Loch und starb, teils an Erstickung, teils vor Überraschung.

Es fielen auch zweihundertneununddreißigtausend leicht angebratene Eier heraus und materialisierten sich in dem Hunger leidenden Land Poghril im Pansel-System als riesiger wabbeliger Klumpen.

Die ganze Bevölkerung von Poghril war bis auf einen letzten

Mann an Hunger ausgestorben. Und der Mann starb ein paar Wochen später an Cholesterinvergiftung.

Dieses Nichtsigstel einer Sekunde, währenddessen das Loch existierte, hallte auf höchst unwahrscheinliche Art und Weise durch die Zeit vorwärts und rückwärts. Irgendwo in einer weit zurückliegenden Vergangenheit schockierte es eine kleine Ansammlung von Atomen, die dort zufällig gerade durch die leere Leblosigkeit des Universums schwebten, so ernstlich, daß sie sich zu den allerungewöhnlichsten Mustern zusammenschlossen. Diese Muster lernten schnell, sich zu reproduzieren (das war ein Teil dessen, was so ungewöhnlich an ihnen war), und verursachten auf jedem Planeten, auf dem sie landeten, jede Menge Ärger. So begann das Leben im Universum.

Fünf wilde Ereignismahlströme wirbelten in tückischen Unvernunftsstrudeln umeinander und spuckten einen Fußboden aus.

Auf diesem Fußboden lagen Ford Prefect und Arthur Dent und schnappten wie halbtote Fische nach Luft.

»Da bist du ja«, keuchte Ford und tastete nach einem Halt auf dem Fußboden, der eben durch den Dritten Bereich des Unbekannten raste, »ich hab dir doch gesagt, ich lasse mir was einfallen.«

»Na klar«, sagte Arthur, »klar.«

»Phantastische Idee von mir«, sagte Ford, »ein vorbeifliegendes Raumschiff zu finden und sich von ihm retten zu lassen.«

Das reale Universum krümmte sich zum Übelwerden unter ihnen weg. Mehrere Universen, die bloß so taten, als wären sie welche, huschten leise wie Bergziegen an ihnen vorbei. Das Urlicht explodierte und besprenkelte das Raum-Zeit-Kontinuum mit so was wie Quarkspritzern. Die Zeit blühte auf, die Materie schrumpfte weg. Die größte existierende Primzahl verkrümelte sich geräuschlos in einer Ecke und versteckte sich für immer.

»Na komm«, sagte Arthur, »die Chancen standen doch astronomisch schlecht.«

»Nörgel nicht rum, es hat doch geklappt«, sagte Ford.

»In was für einem Raumschiff sind wir eigentlich?« fragte Arthur, während der Abgrund der Ewigkeit unter ihnen gähnte.

»Ich weiß es nicht«, sagte Ford, »ich habe die Augen noch nicht aufgemacht.«

»Ich auch nicht«, sagte Arthur.

Das Universum hüpfte in die Höhe, gefror, zitterte und dehnte sich in alle möglichen unvorhergesehenen Richtungen aus.

Arthur und Ford machten die Augen auf und sahen sich ziemlich überrascht um.

»Du lieber Gott«, sagte Arthur, »das sieht ja genau wie die Strandpromenade in Southend aus.«

»Himmel, bin ich erleichtert, daß du das sagst«, sagte Ford.

»Wieso?«

»Weil ich schon dachte, ich würde verrückt.«

»Vielleicht wirst du's auch. Vielleicht hast du bloß gedacht, ich hätte es gesagt.«

Ford dachte darüber nach.

»Also, hast du's nun gesagt oder nicht?« fragte er.

»Ich glaub schon«, sagte Arthur.

»Tja, vielleicht werden wir beide verrückt.«

»Ja«, sagte Arthur, »nach allem, was wir hinter uns haben, müßten wir schon verrückt sein, wenn wir glaubten, das wär Southend.«

»Glaubst du denn, das ist Southend?«

»Ja, klar.«

»Ich auch.«

»Dann müssen wir verrückt sein.«

»Prächtiges Wetter dafür.«

»Ja«, sagte ein Irrer im Vorübergehen.

»Wer war das?« fragte Arthur.

»Wer? Der Mann mit den fünf Köpfen und dem Holunderbusch voller Bücklinge?«

»Ja.«

»Weiß ich nicht. Halt irgend jemand.«

»Aha.«

Sie saßen auf dem Fußboden und sahen leicht beunruhigt zu, wie riesige Kinder vor ihnen schwerfällig den Strand langtapsten und Wildpferde durch den Himmel donnerten und den Stahlgitternachschub in die Unzuverlässigen Gebiete brachten.

»Weißt du«, sagte Arthur und hüstelte leicht, »wenn das hier Southend ist, da ist aber was sehr komisch dran . . .«

»Du meinst, daß das Meer feststeht wie ein Felsen und die Häuser auf und ab schaukeln?« sagte Ford. »Ja, das kam mir auch schon komisch vor. Tatsächlich«, fuhr er fort, als mit einem gewaltigen Krachen Southend in sechs gleich große Segmente zerbarst, die auf die albernste Tour in obszönen Figuren um sich selber zu tanzen begannen, »hier passiert was äußerst Merkwürdiges.«

Das wilde Jaulen von Dudelsäcken und Streichinstrumenten sengte durch den Wind, heiße Krapfen zu zehn Pence das Stück hopsten aus der Straße, fürchterliche Fische sausten wütend vom Himmel runter, und Arthur und Ford beschlossen, sich aus dem Staub zu machen.

Sie tauchten durch dicke Klangmauern, durch Berge archaischer Gedanken, durch Täler aus Stimmungsmusik, miese Sauforgien und herumalbernde Fledermäuse hindurch und hörten plötzlich eine Mädchenstimme.

Sie hörte sich eigentlich ganz vernünftig an, aber sie sagte nur: »Zwei hoch einhunderttausend zu eins, fallend«, und das war alles.

Ford schlidderte einen Lichtstrahl runter und drehte sich im Kreise, als er herauszukriegen versuchte, woher die Stimme kam. Er sah aber nichts, an das er ernstlich glauben konnte.

»Was war das für eine Stimme?« schrie Arthur.

»Ich weiß nicht«, brüllte Ford zurück, »ich weiß es nicht. Es klang wie eine Wahrscheinlichkeitsrechnung.«

»Wahrscheinlichkeit? Was willst du damit sagen?«

»Eben Wahrscheinlichkeit. Verstehst du, so was wie zwei zu

eins, drei zu eins, fünf zu vier. Sie sagte, zwei hoch einhunderttausend zu eins. Das ist ziemlich unwahrscheinlich, verstehst du?«

Ein Fünf-Millionen-Liter-Bottich Vanillesoße ergoß sich ohne Warnung über sie.

»Aber was soll das denn?« rief Arthur.

»Was, die Vanillesoße?«

»Nein, die Wahrscheinlichkeitsrechnung!«

»Das weiß ich nicht. Keine Ahnung. Ich glaube, wir sind auf so was wie einem Raumschiff.«

»Ich möchte nur annehmen«, sagte Arthur, »das hier ist nicht das Erster-Klasse-Abteil.«

Beulen tauchten im Raum-Zeit-Gefüge auf. Große, widerliche Beulen.

»Haaaaauuuurrchchch . . .«, sagte Arthur, als er fühlte, wie sein Körper weich wurde und sich in die unwahrscheinlichsten Richtungen bog. »Southend scheint sich aufzulösen . . . die Sterne wirbeln herum . . . eine Dunstglocke . . . meine Beine wandern in den Sonnenuntergang . . . mein linker Arm ist auch ab.« Ein entsetzlicher Gedanke durchfuhr ihn. »Verdammt«, sagte er, »wie bediene ich jetzt bloß meine Digitaluhr?« Verzweifelt drehte er die Augen in Fords Richtung.

»Ford«, sagte er, »du verwandelst dich in einen Pinguin. Laß das bitte.«

Wieder war die Stimme zu hören.

»Zwei hoch fünfundsiebzigtausend zu eins, fallend.«

Ford watschelte in einem wütenden Kreis um seinen Teich.

»He, wer bist du?« quakte er. »Wo bist du? Was ist eigentlich los? Kann man das irgendwie anhalten?«

»Bitte seien sie ganz unbesorgt«, sagte freundlich die Stimme, die sich wie die einer Stewardess in einem Flugzeug anhörte, das nur eine Tragfläche und zwei Motoren hat, von denen einer brennt, »Sie sind absolut in Sicherheit.«

»Darum geht's doch nicht!« kreischte Ford wütend. »Es geht doch darum, daß ich jetzt ein Pinguin bin, der absolut in Sicherheit ist, und meinem Kumpel hier gehen rapide die Glieder aus!«

»Schon in Ordnung, hab sie alle wieder«, sagte Arthur.

»Zwei hoch fünfzigtausend zu eins, fallend«, sagte die Stimme.

»Zugegeben«, sagte Arthur, »sie sind ein bißchen länger, als sie mir normalerweise gefallen, aber . . .«

»Haben Sie nicht das Gefühl«, quäkte Ford in seiner Vogelwut, »Sie sollten uns vielleicht etwas erklären?«

Die Stimme räusperte sich. Ein riesenhaftes *petit four* latschte vorbei und verschwand in der Ferne.

»Willkommen«, sagte die Stimme, »im Sternenschiff ›Herz aus Gold‹.«

Die Stimme sprach weiter.

»Regen Sie sich bitte über nichts auf«, sagte sie, »was Sie um sich herum sehen oder hören. Sie werden sich zu Anfang notgedrungen etwas elend fühlen, denn Sie sind auf einem Unwahrscheinlichkeitslevel von zwei hoch zweihundertsiebenundsechzigtausend zu eins – möglicherweise noch höher – vor dem sicheren Tod gerettet worden. Wir reisen jetzt in einer Geschwindigkeit von zwei hoch fünfundzwanzigtausend zu eins fallend und stellen die Normalität augenblicklich wieder her, sobald wir wissen, was eigentlich normal ist. Danke. Zwei hoch zwanzigtausend zu eins, fallend.«

Die Stimme verstummte.

Ford und Arthur befanden sich in einer leuchtend rosafarbenen Kabine.

Ford war total aus dem Häuschen.

»Arthur«, sagte er, »das ist ja phantastisch, wir sind von einem Raumschiff mit dem neuen Unendlichen Unwahrscheinlichkeitsdrive aufgelesen worden! Das ist ja einfach unglaublich! Ich habe bisher darüber nur Gerüchte gehört! Sie wurden alle offiziell dementiert, aber sie müssen es geschafft haben! Sie haben den Unwahrscheinlichkeitsdrive gebaut! Arthur, das ist . . . Arthur? Was ist denn da los?«

Arthur hatte sich gegen die Kabinentür gestemmt und versuchte, sie zuzuhalten, sie schloß aber nicht richtig. Winzige pelzige Händchen quetschten sich durch die Ritzen, ihre Finger waren mit Tinte beschmiert; winzige Stimmchen schnatterten wie verrückt.

Arthur blickte auf.

»Ford!« sagte er. »Da draußen sind unendlich viele Affen, die sich mit uns über ihr *Hamlet*-Drehbuch unterhalten wollen.«

Der Unendliche Unwahrscheinlichkeitsdrive ist eine neue, hinreißende Methode, riesige interstellare Entfernungen ohne das ganze langweilige Herumgehänge im Hyperraum in einem bloßen Nichtsigstel einer Sekunde zurückzulegen.

Entdeckt wurde er durch einen glücklichen Zufall, zu einem brauchbaren Antrieb weiterentwickelt wurde er dann vom Galaktischen Staatlichen Forschungsteam auf Damogran.

Das ist in der gebotenen Kürze die Geschichte seiner Entdeckung.

Das Prinzip, kleine Mengen *endlicher* Unwahrscheinlichkeit herzustellen, indem man einfach die Logikstromkreise eines Sub-Meson-Gehirns Typ Bambelweeny 57 mit einem Atomvektoren-Zeichner koppelte, der wiederum in einem starken Braunschen Bewegungserzeuger hing (sagen wir mal, einer schönen heißen Tasse Tee), war natürlich allenthalben bekannt – und solche Generatoren wurden oft dazu benutzt, auf Parties Stimmung zu machen, indem man analog der Indeterminismustheorie alle Unterwäschemoleküle der Gastgeberin plötzlich einen Schritt nach links machen ließ.

Viele berühmte Physiker sagten, sie könnten nichts von alldem vertreten, zum Teil, weil es eine Herabwürdigung der Wissenschaft darstelle, vor allem aber, weil sie zu solchen Parties nie eingeladen wurden.

Etwas anderes, was sie nicht ertrugen, war das dauernde Scheitern ihrer Bemühungen, einen Apparat zu bauen, der das *unendliche* Unwahrscheinlichkeitsfeld erzeugen könnte, mit dem ein Raumschiff die irrwitzigen Entfernungen zwischen den entlegensten Sternen in Nullkommanix zurücklegen würde. Und so verkündeten sie schließlich mürrisch, so einen Apparat zu bauen sei im Grunde genommen unmöglich.

Darauf stellte ein Student, der nach einem besonders erfolglosen Tag das Labor ausfegen sollte, folgende Überlegung an:

Wenn, so dachte er bei sich, so ein Apparat *im Grunde genommen* unmöglich ist, dann ist das logischerweise eine *endliche* Unwahrscheinlichkeit. Ich brauche also nichts anderes zu tun, als genau auszurechnen, wie unwahrscheinlich so ein Apparat ist, dann muß ich diese Zahl in den Endlichen Unwahrscheinlichkeitsgenerator eingeben, ihm eine Tasse wirklich heißen Tee servieren . . . und ihn anstellen!

Das tat er und fand zu seinem großen Erstaunen, daß es ihm einfach so aus der hohlen Hand gelungen war, den lange gesuchten Unendlichen Unwahrscheinlichkeitsgenerator zu erfinden.

Sein Erstaunen war freilich noch größer, als er, kurz nachdem er vom Galaktischen Institut mit dem Preis für Äußerste Gerissenheit ausgezeichnet worden war, von einer rasenden Horde berühmter Physiker gelyncht wurde, die schließlich dahintergekommen waren, daß das einzige, was sie wirklich nicht ertragen konnten, ein Besserwisser war.

Im unwahrscheinlichkeitssicheren Kommandoraum der »Herz aus Gold« sah es aus wie in jedem vollkommen normalen Raumschiff, es war bloß alles picobello sauber, weil es so neu war. Von einigen Kommandosesseln waren noch nicht mal die Plastikhüllen abgenommen worden. Der Raum war fast völlig weiß, rechteckig und ungefähr so groß wie ein kleineres Restaurant. Das heißt, richtig rechteckig war er nicht: die beiden Längswände krümmten sich in einer sanften parallelen Kurve, und alle Winkel und Ecken des Raumes waren in enervierend viele Brechungen zerlegt. Im Grunde wäre es sehr viel einfacher und praktischer gewesen, die Kabine als gewöhnlichen dreidimensionalen, rechteckigen Raum zu bauen, aber dann wären die Designer sauer gewesen. Die Kommandozentrale jedenfalls sah ungeheuer zweckmäßig aus: an der konkaven Wand hingen große Bildschirme in langen Reihen über den Kontroll- und Leitsystem-Schaltpulten, und in die Konvexe Wand waren lange Computerkolonnen eingelassen. In einer Ecke kauerte ein Roboter, sein auf Hochglanz polierter Stahlkopf baumelte zwischen seinen auf Hochglanz polierten Stahlknien. Auch er war ziemlich neu, aber obwohl er schön gebaut und poliert war, sah er irgendwie so aus, als paßten die verschiedenen Teile seines mehr oder minder humanoiden Körpers nicht richtig zusammen. In Wirklichkeit paßten sie perfekt zusammen, nur irgendwas in seiner Haltung legte die Vermutung nahe, daß sie vielleicht noch besser hätten zusammenpassen können.

Zaphod Beeblebrox lief nervös in dem Raum hin und her, strich mit den Händen über einzelne glänzende Instrumente und kicherte vor Aufregung. Trillian saß über eine Unmenge von Geräten gebeugt und las Zahlen ab. Ihre Stimme wurde über den Bordsender in das ganze Raumschiff übertragen.

»Fünf zu eins, fallend . . .«, sagte sie, »vier zu eins, fallend . . .
drei zu eins . . . zwei . . . eins . . . Wahrscheinlichkeitsfaktor eins zu
eins . . . wir haben Normalität erreicht, ich wiederhole, wir haben
Normalität erreicht.«

Sie schaltete ihr Mikrophon ab – schaltete es darauf mit einem
angedeuteten Lächeln wieder an und fuhr fort:

»Alles, womit Sie jetzt immer noch nicht fertigwerden, ist folg-
lich Ihr Problem. Bitte entspannen Sie sich. Man wird bald nach Ihnen schicken.«

Zaphod polterte verdrossen los: »Was sind denn das für Leute,
Trillian?«

Trillian drehte ihren Sessel rum, so daß sie ihm das Gesicht zu-
wandte, und zuckte die Achseln.

»Halt zwei so Typen, die wir im Weltraum aufgelesen haben«,
sagte sie. »Im Sektor ZZ 9 Plural Z Alpha.«

»Naja, das ist ja wirklich sehr nett von dir, Trillian«, nörgelte Zaphod, »aber hältst du das unter den gegenwärtigen Umständen
auch wirklich für klug? Ich meine, schließlich sind wir auf der
Flucht und so weiter, die Polizei der halben Galaxis ist inzwischen
hinter uns her, und wir halten an und nehmen ein paar Anhalter
mit. Okay, zehn Pluspunkte von zehn möglichen für guten Stil,
aber ein paar Millionen Miese für Gutmütigkeit, nicht?«

Er klopfte gereizt auf ein Schaltpult. Trillian schob seine Hand
gelassen weg, ehe sie auf was Wichtiges klopfen konnte. Ganz
gleich, welche geistigen Qualitäten Zaphod haben mochte –
Schneid, Tollkühnheit, Witz –, technisch war er total unbedarft
und konnte mit einer einzigen unkontrollierten Bewegung leicht
das ganze Raumschiff in die Luft jagen. Trillian war der Verdacht
gekommen, der wahre Grund für sein aufregendes und erfolgrei-
ches Leben liege darin, daß er den Sinn von allem, was er tat, nie
wirklich verstand.

»Zaphod«, sagte sie geduldig, »sie schwebten völlig schutzlos
im Weltraum rum . . . Hättest du sie etwa sterben lassen?«

»Also, weißt du . . . nein. An sich nicht, aber . . .«

»An sich nicht? Sterben – an sich nicht? Aber?« Trillian neigte ihren Kopf zur Seite.

»Naja, vielleicht hätte sie später jemand mitgenommen.«

»Eine Sekunde später, und sie wären tot gewesen.«

»Siehst du, hättest du dir die Mühe gemacht, über das Problem ein bißchen länger nachzudenken, dann hätte es sich von selbst gelöst.«

»Es hätte dir also Vergnügen gemacht, sie sterben zu lassen?«

»Naja, weißt du, Vergnügen an sich nicht, aber . . .«

»Und außerdem«, sagte Trillian und wandte sich wieder den Kontrollgeräten zu, »habe ich sie gar nicht mitgenommen.«

»Was soll das heißen? Wer hat sie denn dann mitgenommen?«

»Das Raumschiff.«

»Hä?«

»Das Raumschiff hat's von ganz allein gemacht.«

»Hä?«

»Während wir im Unwahrscheinlichkeitsdrive waren.«

»Das ist ja unglaublich.«

»Nein, Zaphod. Nur sehr, sehr unwahrscheinlich.«

»Äh, ja.«

»Komm, Zaphod«, sagte sie und tätschelte seinen Arm, »mach dir wegen der Fremden keine Sorgen. Ich nehme an, das sind halt zwei so Typen. Ich schicke den Roboter hin, der soll sie herholen. He, Marvin!«

Der Roboter in der Ecke hob rasch den Kopf, schüttelte ihn dann aber kaum merklich. Er rappelte sich mühselig hoch, als sei er ungefähr fünf Pfund schwerer als er wirklich war, und tat etwas, was ein unbeteiligter Zuschauer für den heldenhaften Versuch gehalten hätte, den Raum zu durchqueren. Er hielt vor Trillian an und schien durch ihre linke Schulter hindurchzustarren.

»Ihr solltet vielleicht zur Kenntnis nehmen, daß ich sehr niedergeschlagen bin«, sagte er. Seine Stimme klang leise und hoffnungslos.

»Oh Gott«, murmelte Zaphod und ließ sich in einen Sessel fallen.

»Na fein«, sagte Trillian freundlich und mitfühlend, »ich hab hier was für dich zu tun, das dich ein bißchen auf andere Gedanken bringt.«

»Das funktioniert ja doch nicht«, leierte Marvin, »mir geht viel zu viel im Kopf rum.«

»Marvin!« mahnte Trillian.

»Schon gut«, sagte Marvin, »was soll ich machen?«

»Geh runter zum Einstiegskanal Zwei und bring die beiden Fremden gut bewacht hierher.«

Mit einer mikrosekundenlangen Pause und einer fein kalkulierten Mikromodulation in Lautstärke und Tonhöhe – nichts, woran man wirklich hätte Anstoß nehmen können – gelang es Marvin, seiner äußersten Verachtung und Abneigung allem Menschlichen gegenüber Ausdruck zu verleihen.

»Ist das alles?« fragte er.

»Ja«, sagte Trillian bestimmt.

»Macht mir aber bestimmt keinen Spaß«, sagte Marvin.

Zaphod sprang von seinem Sessel hoch.

»Sie verlangt von dir nicht, daß es dir Spaß macht«, brüllte er, »du sollst es einfach tun, verstanden?«

»Schon gut«, sagte Marvin, und es hörte sich an wie das Läuten einer großen geborstenen Glocke, »ich mach's ja.«

»Na, großartig«, kläffte Zaphod, »wunderbar . . . vielen herzlichen Dank . . .«

Marvin drehte sich um und schlug seine dreieckigen, roten Augen zu ihm auf.

»Ich geh euch doch nicht etwa auf die Nerven?« sagte er kläglich.

»Neinnein, Marvin«, trällerte Trillian, »überhaupt nicht, wirklich . . .«

»Ich hätte nicht gerne das Gefühl, daß ich euch auf die Nerven ginge.«

»Nein, mach dir darüber keine Sorgen«, ging das Geträllere weiter, »verhalte dich einfach ganz natürlich, dann ist alles in bester Ordnung.«

»Und es macht euch ganz bestimmt nichts aus?« forschte Marvin weiter.

»Aber nein, Marvin«, flötete Trillian, »das ist schon okay, wirklich . . . das gehört doch einfach mit zum Leben.«

Marvin blitzte ihr einen elektronischen Blick rüber, der sich gewaschen hatte.

»Leben«, sagte Marvin, »erzähl mir bloß nichts vom Leben!«

Er machte niedergeschlagen auf dem Absatz kehrt und schlurfte aus der Kommandozentrale. Mit einem zufriedenen Summen und einem Klick schloß sich die Tür hinter ihm.

»Ich glaube, ich ertrage diesen Roboter nicht mehr lange, Zaphod«, stöhnte Trillian.

Die Encyclopaedia Galactica *definiert einen Roboter als eine technische Vorrichtung, die dazu dient, dem Menschen die Arbeit abzunehmen. Die Marketing-Abteilung der Sirius-Kybernetik-Corporation definiert einen Roboter als »deinen Kunststoff-Freund für die schönen Stunden des Lebens«.*

Der Reiseführer Per Anhalter durch die Galaxis *definiert die Marketing-Abteilung der Sirius-Kybernetik-Corporation als »ein Rudel hirnloser Irrer, die als erste an die Wand gestellt werden, wenn die Revolution kommt«, nebst einer Fußnote, in der die Redaktion jede Bewerbung um den Posten eines Korrespondenten in Roboterfragen außerordentlich willkommen heißt.*

Komischerweise definierte ein Exemplar der Encyclopaedia Galactica, *das das große Glück hatte, durch einen Zeitsprung aus der tausend Jahre entfernten Zukunft herauszufallen, die Marketing-Abteilung der Sirius-Kybernetik-Corporation als »ein Rudel hirnloser Irrer, die als erste an die Wand gestellt wurden, als die Revolution kam«.*

Die rosa Kabine war aus dem Sein davongeflimmert, und die Affen hatten sich in eine geeignetere Dimension verflüchtigt. Ford und Arthur befanden sich im Ladebereich des Raumschiffs. Es sah alles ziemlich elegant aus.

»Ich glaube, das Raumschiff hier ist nagelneu«, sagte Ford.

»Woran siehst du das denn?« fragte Arthur. »Hast du irgendeinen komischen Apparat, mit dem du das Alter von Metallen messen kannst?«

»Nein, ich habe nur diese Werbebroschüre auf dem Fußboden gefunden. Da stehen 'ne Menge Sprüche drin nach der Masche: ›Ihnen kann das ganze Universum gehören‹. Ah! Siehst du, ich hatte recht.«

Ford wies auf eine der Seiten und zeigte sie Arthur. »Hier steht:

Sensationeller Durchbruch in der Unwahrscheinlichkeitsphysik. Wenn die Geschwindigkeit des Raumschiffs die Unendliche Unwahrscheinlichkeit erreicht, durchfliegt es nahezu gleichzeitig jeden Punkt des Universums. Andere Regierungen werden vor Neid platzen. Mann, das ist ja Superklasse.«

Ford überflog aufgeregt die technischen Besonderheiten des Raumschiffs, wobei er gelegentlich erstaunt nach Luft schnappte über das, was er las – unbestreitbar hatte sich die Galaktische Astrotechnologie in den Jahren seines Exils weiterentwickelt.

Arthur hörte ihm einen Moment lang zu, aber da er das meiste von dem, was Ford sagte, nicht verstand, ließ er seine Gedanken wandern und fuhr geistesabwesend mit den Fingern über die Kanten einer ihm unverständlichen Computerreihe, streckte dann die Hand aus und drückte auf einen einladend großen roten Knopf auf einem Schaltpult vor sich. Auf einem Armaturenbrett leuchteten die Worte auf: *Drücken Sie bitte nicht noch einmal auf diesen Knopf.* Arthur schüttelte sich.

»Hör dir das an«, sagte Ford, der noch immer in die Werbebroschüre vertieft war, »von der Kybernetik des Raumschiffs machen sie besonders viel her. *Die neue Roboter- und Computergenera-*

tion der Sirius-Kybernetik-Corporation wurde mit den neuen EMP-Eigenschaften ausgerüstet.«

»EMP-Eigenschaften?« sagte Arthur. »Was heißt das denn?«

»Ach, das heißt *Echtes Menschliches Persönlichkeitsbild*.«

»Oh«, sagte Arthur, »das klingt ja gräßlich.«

Eine Stimme hinter ihnen sagte: »Ist es auch.« Sie klang leise und hoffnungslos und war von einem leicht rasselnden Geräusch begleitet. Sie fuhren beide herum und sahen einen zutiefst traurigen Stahlmann gebeugt in der Tür stehen.

»Was?« sagten sie.

»Gräßlich«, fuhr Marvin fort. »Es ist alles . . . absolut gräßlich. Bloß nicht darüber reden. Seht euch diese Tür an«, sagte er und trat hindurch. Die Ironieschaltkreise klinkten sich in seinen Stimmmodulator ein, als er den Stil der Werbebroschüre nachäffte. *»Alle Türen in diesem Raumschiff sind heiter und fröhlich gestimmt. Es ist ihnen eine Freude, sich für Sie zu öffnen, und eine große Befriedigung, sich wieder zu schließen und zu wissen, daß sie gute Arbeit geleistet haben.«*

Als die Tür sich hinter ihm schloß, konnte man hören, daß sie wirklich was befriedigt Seufzerartiges von sich gab.

»Hummmmmmmmmyummmmmmmmmmmmmm ah!« sagte sie.

Marvin musterte die Tür mit kalter Verachtung, während seine Logikschaltkreise vor Abscheu ratterten und mit dem Gedanken spielten, mit physischer Gewalt gegen sie vorzugehen. Andere Schaltkreise schalteten sich ein und meinten: Was soll's? Wozu das Ganze? Nichts ist so wichtig, daß man es ernstnehmen muß. Wieder andere Schaltkreise amüsierten sich damit, die molekulare Zusammensetzung der Tür und der Gehirnzellen der beiden Humanoiden zu analysieren. Als Zugabe errechneten sie schnell noch die Stärke des Wasserstoffausstoßes innerhalb der umliegenden Kubikparallaxensekunde des Universums, dann schalteten sie sich gelangweilt ab. Ein Anfall von Verzweiflung durchzuckte den Körper des Roboters, als er sich umdrehte.

»Kommt mit«, brummte er, »ich habe den Auftrag, euch in die Kommandozentrale zu bringen. Seht mich an, ein Gehirn von der Größe eines Planeten, und man verlangt von mir, euch in die Kommandozentrale zu bringen. Nennt man das vielleicht berufliche Erfüllung? Ich jedenfalls tu's nicht.«

Er kehrte um und ging zu der verhaßten Tür zurück.

»Äh, entschuldige bitte«, sagte Ford, der ihm folgte, »aber welcher Regierung gehört das Raumschiff hier eigentlich?«

Marvin überhörte ihn.

»Guckt euch diese Tür genau an«, murmelte er, »gleich geht sie wieder auf. Ich merke das schon an der unerträglichen Arroganz, die sie plötzlich ausstrahlt.«

Mit einem einschmeichelnden kleinen Winseln glitt die Tür wieder zur Seite und Marvin stampfte hindurch.

»Kommt mit«, sagte er.

Die beiden folgten ihm schnell, und die Tür glitt mit einem erfreuten leisen Klicken und Schnurren wieder an ihren Platz.

»Dank sei der Marketing-Abteilung der Sirius-Kybernetik-Corporation«, sagte Marvin und trottete traurig den hochglänzenden, leicht gekrümmten Korridor entlang, der sich vor ihnen öffnete. »*Wir wollen Roboter mit Echtem Menschlichem Persönlichkeitsbild bauen,* sagten sie, und an mir haben sie das ausprobiert. Ich bin der Prototyp mit Persönlichkeitsbild. Das merkt man doch sicher, oder?«

Ford und Arthur murmelten verlegen kleine Dementis.

»Ich hasse diese Tür«, fuhr Marvin fort. »Ich gehe euch doch hoffentlich nicht auf die Nerven, oder?«

»Welcher Regierung . . .«, fing Ford wieder an.

»Es gehört überhaupt keiner Regierung«, sagte der Roboter schnippisch. »Es ist geklaut worden.«

»Geklaut?«

»Geklaut?« äffte Marvin sie nach.

»Von wem denn?« fragte Ford.

»Von Zaphod Beeblebrox.«

Was sehr Sonderbares passierte mit Fords Gesicht. Mindestens fünf völlig verschiedene und gegensätzliche Äußerungen von Schreck und Überraschung drängten sich auf ihm in einem heillosen Durcheinander. Sein linkes Bein, das gerade zu einem Schritt ausholen wollte, hatte anscheinend Schwierigkeiten, den Boden wiederzufinden. Er starrte den Roboter an und versuchte, ein paar Zuckmuskeln unter Kontrolle zu bringen.

»*Zaphod Beeblebrox . . .?*« flüsterte er matt.

»Pardon, habe ich was Falsches gesagt?« erkundigte sich Marvin, der ohne Rücksicht weiterschlurfte. »Entschuldigt, daß ich atme, was ich sowieso nie tue, deshalb weiß ich gar nicht, warum ich mir die Mühe mache und es sage. Oh Gott, ich bin so deprimiert. Hier haben wir schon wieder eine von diesen selbstgefälligen Türen. Das *Leben*! Erzählt mir bloß nichts vom Leben.«

»Davon hat doch überhaupt keiner geredet«, murmelte Arthur nervös. »Ford, ist mit dir alles okay?«

Ford starrte ihn an. »Hat dieser Roboter hier eben Zaphod Beeblebrox gesagt?« fragte er.

Laute Gunk-Musik plärrte und schepperte durch die Kommandozentrale der »Herz aus Gold«, als Zaphod die Wellenbereiche des Sub-Etha-Radios nach irgendwelchen Nachrichten über sich absuchte. Das Gerät war ziemlich schwierig zu bedienen. Jahrelang hatte man bei Radios auf Knöpfe drücken und an Skalenrädern drehen müssen; als dann die Technik immer raffinierter wurde, machte man die Regler berührempfindlich – man brauchte die Schaltelemente nur noch mit den Fingern anzutippen. Jetzt aber mußte man nur noch mit der Hand ungefähr in die Richtung des Apparats winken und hoffen. Das sparte natürlich eine Menge Muskelkraft, hatte aber auch den Nachteil, daß man wahnsinnig still sitzen mußte, wenn man ein und dasselbe Programm drinbehalten wollte.

Zaphod winkte mit der Hand, und die Frequenz änderte sich erneut. Wieder Gunk-Musik, diesmal aber als Hintergrund zu einer Nachrichtenmeldung. Die Nachrichten waren immer kräftig redigiert, damit sie zum Ryhthmus der Musik paßten.

». . . es folgen nun die Nachrichten auf der Sub-Etha-Welle, die Sie rund um die Uhr rund um die Galaxis empfangen können«, quakte eine Stimme, »und dazu begrüßen wir mit einem herzlichen Hallo alle intelligenten Lebensformen überall im All . . . und natürlich auch alle anderen da draußen. Hauptsache, ihr haut die Klamotten immer kräftig zusammen, Jungs. Und die fetteste Schlagzeile heute abend ist selbstverständlich der sensationelle Diebstahl des Raumschiffprototyps mit dem neuen Unwahrscheinlichkeitsdrive durch keinen anderen als den Galaktischen Präsidenten Zaphod Beeblebrox. Und die Frage, die sich da natürlich jeder stellt, lautet . . . Ist der Große Z jetzt endgültig weggetreten? Beeblebrox, der Erfinder des Pangalaktischen Donnergurglers, der Ex-Hochstapler, den Eccentrica Gallumbits einmal den größten Knaller seit dem Urknall nannte und der vor kurzem nun schon zum siebenten Male hintereinander zum schlechtestgekleideten fühlenden Wesen des Universums gewählt wurde . . . Weiß er diesmal eine Antwort? Wir fragten seinen persönlichen Gehirn-Wartungsexperten Gag Halfrunt . . .«

Die Musik strudelte einen Augenblick in den Vordergrund und wich dann wieder zurück. Eine andere Stimme blendete sich ein, wahrscheinlich die von Halfrunt. Sie sagte: »Naja, wissense, so is Zaphod nu ma, ne?«, kam aber nicht weiter, weil ein elektrischer Bleistift quer durch die Kabine und den Luftraum des Ein/Aus-Sensors des Radios flog. Zaphod drehte sich um und starrte Trillian an – sie hatte den Bleistift geworfen.

»He«, sagte er, »was soll das denn?«

Trillian tippte mit dem Finger auf einen Monitor voller Zahlen.

»Mir ist grad was eingefallen«, sagte sie.

»Ach ja? Sowas Wichtiges, daß du die Nachrichten über mich unterbrichst?«

»Du hörst sowieso schon genug über dich.«

»Ich bin in großer Gefahr. Das wissen wir doch.«

»Können wir nur für einen Augenblick mal dein Ego beiseite lassen? Das hier ist wichtig.«

»Wenn es hier in der Gegend irgendwas Wichtigeres als mein Ego gibt, verlange ich, daß man es auf der Stelle verhaftet und erschießt.« Zaphod starrte sie wieder an, dann lachte er.

»Paß auf«, sagte sie, »wir haben doch diese beiden Typen da aufgelesen . . .«

»Welche beiden Typen denn?«

»Die beiden Typen, die wir aufgelesen haben.«

»Ach ja«, sagte Zaphod, »diese beiden Typen.«

»Wir haben sie im Sektor ZZ 9 Plural Z Alpha aufgelesen.«

»Ja und?« sagte Zaphod und blinzelte.

Trillian sagte mit ruhiger Stimme: »Sagt dir das nicht irgendwas?«

»Hmmm«, machte Zaphod, »ZZ 9 Plural Z Alpha. ZZ 9 Plural Z Alpha?«

»Na?« sagte Trillian.

»Äh . . . was bedeutet eigentlich das Z?« fragte Zaphod.

»Welches?«

»Jedes.«

Eine der größten Schwierigkeiten im Verhältnis zu Zaphod bestand für Trillian darin, unterscheiden zu lernen, wann er sich dumm stellte, um Leute aus der Reserve zu locken, wann er sich dumm stellte, weil er im Moment nicht überlegen und das Denken jemand anderem überlassen wollte, wann er sich unverschämt dumm stellte, um zu verbergen, daß er wirklich nicht wußte, worum es gerade ging, und wann er wirklich und wahrhaftig dumm war. Er war berühmt dafür, ungeheuer clever zu sein, und das war er auch ganz offenbar – aber nicht immer, was ihn natürlich beunruhigte, und darum auch das ganze Theater. Er mochte es lieber, wenn die Leute verdutzt statt respektlos waren. Vor allem das erschien Trillian wirklich und wahrhaftig dumm, aber sie hatte keine Lust mehr, darüber noch länger zu streiten.

Sie seufzte und tippte auf den Knöpfen eine Sternenkarte in den Monitor, um es ihm leichter zu machen, ganz egal, wie seine Gründe auch lauten mochten, es so zu wollen.

»Da«, zeigte sie, »genau da.«

»He . . . jaaa!« sagte Zaphod.

»Und?« sagte sie.

»Was und?«

Teile ihres Kopfinneren schrien andere Teile ihres Kopfinneren an. Sehr ruhig sagte sie: »Das ist derselbe Sektor, in dem du auch mich mal aufgelesen hast.«

Er sah sie an und guckte wieder auf den Monitor.

»Ja, richtig«, sagte er. »Na, das ist ja verrückt. Eigentlich hätten wir doch direkt mitten in den Pferdekopfnebel schwirren müssen. Wie sind wir denn hierher gekommen? Ich meine, das ist doch nirgendwo.«

Das überhörte sie.

»Unwahrscheinlichkeitsdrive«, sagte sie geduldig. »Du hast ihn mir doch selber erklärt. Wir durchfliegen gleichzeitig jeden Punkt des Universums, das weißt du doch.«

»Ja, aber das ist doch wirklich ein zu komischer Zufall, nicht?«

»Ja.«

»Ausgerechnet an diesem Punkt jemanden aufzulesen? Wenn man sich's aus dem ganzen Universum aussuchen kann? Das ist doch wirklich zu . . . Ich würde das mal gerne durchrechnen. Computer!«

Der Sirius-Kybernetik-Bord-Computer, der jedes kleinste Teilchen des Raumschiffs in seiner Kontrolle hatte, schaltete auf Kommunikationsbereitschaft.

»Hallo, Freunde!« sagte er fröhlich und spuckte gleichzeitig einen kleinen Lochstreifen aus, nur so zur Erinnerung. Auf dem Lochstreifen stand: *Hallo, Freunde!*

»Oh Gott«, sagte Zaphod. Er hatte noch nicht viel mit diesem Computer gearbeitet, haßte ihn aber bereits von ganzem Herzen.

Der Computer redete und tickerte weiter, dreist und munter, als verkaufe er Waschpulver.

»Nehmen Sie bitte zur Kenntnis, daß ich dazu da bin, Ihnen bei der Lösung Ihrer Probleme zu helfen, egal, worum's dabei geht.«

»Jaja«, sagte Zaphod. »Weißt du, ich glaube, ich nehme doch lieber ein Stück Papier.«

»Aber klar«, sagte der Computer und spuckte seine Mitteilung gleichzeitig in einen Papierkorb, »ich verstehe. Sollten Sie mal wieder . . .«

»Schnauze!« sagte Zaphod, schnappte sich einen Bleistift und setzte sich neben Trillian an das Schaltpult.

»Okay, okay«, sagte der Computer pikiert und schaltete seinen Sprechkanal wieder ab.

Zaphod und Trillian hockten über den Zahlen, die vor ihnen auf dem Unwahrscheinlichkeitsflugbahn-Radarschirm leise aufflimmerten.

»Können wir berechnen«, sagte Zaphod, »wie hoch aus ihrer Sicht die Unwahrscheinlichkeit ihrer Rettung war?«

»Ja, das ist eine Konstante«, sagte Trillian, »eins zu zwei hoch zweihundertsechsundsiebzigtausendsiebenhundertneun.«

»Das ist hoch. Die beiden hatten verdammt großes Glück.«

»Ja.«

»Aber im Verhältnis zu unserer Geschwindigkeit, als das Raumschiff sie aufnahm . . .«

Trillian tippte die Zahlen ein. Sie ergaben eins zu zwei hoch unendlich minus eins (eine irrationale Zahl, die nur in der Unwahrscheinlichkeitsphysik eine feste Bedeutung hat).

». . . ist das verdammt niedrig«, fuhr Zaphod fort und stieß einen leisen Pfiff aus.

»Ja«, stimmte Trillian zu und sah ihn fragend an.

»Es muß 'ne gewaltige Menge Unwahrscheinlichkeit dahinter stecken. Irgendwas verdammt Unwahrscheinliches muß in der

Rechnung auftauchen, wenn das hier noch was ergeben soll.«

Zaphod kritzelte ein paar Berechnungen hin, strich sie wieder aus und warf den Bleistift hin.

»Verdammt noch mal, ich krieg's nicht raus.«

»Und nun?«

Zaphod donnerte gereizt seine beiden Köpfe zusammen und knirschte mit den Zähnen.

»Okay«, sagte er, »Computer!«

Die Sprachschaltkreise lebten wieder auf.

»Hallo, da bin ich wieder«, sagten sie (Tickerstreifen Tickerstreifen). »Ich will nichts anderes, als Ihnen den Tag schöner machen, schöner und schöner und schöner und . . .«

»Ja, ist ja gut, halt bloß die Klappe und rechne mir was aus.«

»Aber klar«, schnatterte der Computer, »Sie möchten eine Wahrscheinlichkeitskalkulation auf der Grundlage von . . .«

»Unwahrscheinlichkeitsdaten, ja.«

»Okay«, fuhr der Computer fort, »da wäre zunächst eine interessante kleine Feststellung zu machen. Haben Sie schon bemerkt, daß das Leben der meisten Leute von Telefonnummern bestimmt wird?«

Ein gequälter Blick kroch über eins von Zaphods Gesichtern und dann weiter zum nächsten.

»Bist du übergeschnappt?« fragte er.

»Nein, aber Sie werden's gleich sein, wenn ich Ihnen erzähle, daß . . .«

Trillian atmete hörbar. Hektisch fummelte sie an den Knöpfen des Unwahrscheinlichkeitsflugbahn-Monitors rum.

»Telefonnummer?« sagte sie. »Hat das Ding hier eben *Telefonnummer* gesagt?«

Zahlen blitzten auf dem Bildschirm auf.

Der Computer hatte eine höfliche Pause eingelegt, aber jetzt machte er weiter.

»Was ich eben sagen wollte, war . . .«

»Laß gut sein«, sagte Trillian.

»Guck mal, was ist denn das?« fragte Zaphod.

»Weiß ich nicht«, sagte Trillian, »aber die beiden Fremden – sind mit diesem jammervollen Roboter hierher unterwegs. Bekommen wir sie in irgendwelche Überwachungskameras?«

Marvin trottete noch immer jammernd den Korridor entlang. ». . . und dann habe ich natürlich noch diese gräßlichen Schmerzen in allen Dioden hier unten an der linken Seite . . .«

»Ach?« bemerkte Arthur bissig, während er neben ihm weiterging. »Wirklich?«

»O ja«, sagte Marvin. »ich meine, ich habe darum gebeten, daß man sie auswechselt, aber es hört ja keiner zu.«

»Das kann ich mir vorstellen.«

Von Ford war ein undefinierbares Gepfeife und Gesumme zu vernehmen. »Mannomannomann«, sagte er immer wieder zu sich selbst, »Zaphod Beeblebrox . . .«

Plötzlich blieb Marvin stehen und hob die Hand in die Höhe.

»Ihr wißt natürlich, was jetzt passiert ist, gell?«

»Nein, was denn?« sagte Arthur, der es gar nicht wissen wollte.

»Wir sind schon wieder an einer von diesen Türen angekommen.«

Eine Schiebetür war in die Gangwand eingelassen. Marvin beäugte sie argwöhnisch.

»Na, was ist?« fragte Ford ungeduldig. »Gehen wir nicht weiter?«

»*Gehen wir nicht weiter?*« äffte Marvin ihn nach. »Ja. Das hier ist die Tür zur Kommandozentrale. Man sagte mir, ich sollte euch zur Kommandozentrale bringen. Mich sollte es nicht wundern, wenn das heutzutage die höchsten Anforderungen sind, die an intellektuelle Kapazitäten gestellt werden.«

Langsam und mit dem allergrößten Abscheu ging er wie ein Jäger, der sich an seine Beute heranpirscht, auf die Tür zu. Die glitt auf einmal auf.

»*Vielen Dank*«, sagte sie, »*Sie haben eine einfache Tür sehr glücklich gemacht.*«

In der Tiefe von Marvins Brustkasten knirschten Zahnräder.

»Komisch«, sagte er mit Grabesstimme, »genau so ist es, wenn man denkt, das Leben könnte unmöglich noch schlechter werden, und dann tut's genau das.«

Er schleppte sich durch die Tür, während sich Ford und Arthur noch immer verdutzt ansahen und die Schultern zuckten. Von drinnen hörten sie wieder Marvin reden.

»Ich nehme an, ihr wollt jetzt mit den Fremden reden«, sagte er. »Soll ich mich so lange in eine Ecke setzen und vor mich hinrosten oder einfach gleich hier, wo ich stehe, auseinanderfallen?«

»Ach, führ sie doch bitte rein, Marvin«, sagte eine andere Stimme.

Arthur sah Ford an und bemerkte überrascht, daß er lachte.

»Was ist . . .?«

»Schsch«, sagte Ford, »los, komm rein.«

Er ging in die Kommandozentrale.

Arthur folgte ihm nervös und sah zu seiner Verwunderung einen Mann mit den Füßen auf einem Schaltpult sich in einem Sessel fläzen und sich mit der Linken in den Zähnen seines rechten Kopfes rumstochern. Der rechte Kopf war von dieser Tätigkeit offenbar total in Anspruch genommen, aber der linke Kopf sah ihnen mit einem breiten, entspannten, nonchalanten Grinsen entgegen. Die Menge der Dinge, die Arthur sah und partout nicht glauben konnte, war verdammt groß. Ihm klappte für eine Weile einfach der Kiefer runter.

Der sonderbare Mann winkte Ford träge einen Gruß zu und sagte mit furchtbar geheuchelter Lässigkeit: »Hallo, Ford, wie geht's? Schön, daß du mal reinschneist.«

Ford ließ sich nicht aus der Fassung bringen.

»Zaphod«, flötete er, »schön, dich zu sehen, gut siehst du aus. Der Extra-Arm steht dir phantastisch. 'n nettes Schiffchen hast du dir geklaut.«

Arthur glotzte ihn verblüfft an.

»Willst du damit sagen, daß du diesen Burschen da kennst?« sagte er und fuchtelte wie verrückt mit dem Finger zu Zaphod rüber.

»Kennen?« rief Ford. »Er ist . . .« Er unterbrach sich und beschloß, die Vorstellung andersherum zu beginnen. »Oh Zaphod, das hier ist mein Freund Arthur Dent«, sagte er. »Ich habe ihn gerettet, als sein Planet in die Luft ging.«

»Na klar«, sagte Zaphod, »hallo, Arthur, schön, daß Sie's geschafft haben.« Auch sein rechter Kopf wandte sich Arthur gleichgültig zu, sagte »Hallo!« und ließ sich weiter in den Zähnen rumstochern.

»Und das hier, Arthur«, redete Ford weiter, »ist mein Halbcousin Zaphod Beeb . . .«

»Wir kennen uns«, sagte Arthur schroff.

Wenn man mit seinem Auto auf der Überholspur langfährt, lässig an ein paar mühsam schnaufenden Wagen vorbeizieht und so richtig mit sich zufrieden ist, und wenn man dann aus Versehen aus dem Vierten in den Ersten statt in den Dritten runterschaltet und der Motor in einem einzigen grauenhaften Klump aus der Kühlerhaube fliegt, dann wird man wahrscheinlich ähnlich verdutzt aus der Wäsche gucken wie Ford jetzt, als er Arthurs Bemerkung hörte.

»Äh . . . bitte?« sagte er.

»Ich sagte, wir kennen uns.«

Zaphod fuhr überrascht und verlegen auf und stach sich mit dem Zahnstocher in seinen rechten Gaumen.

»He . . . äh, wirklich? He . . . äh . . .«

Mit wütend blitzenden Augen fuhr Ford Arthur über den Mund. Jetzt, wo er sich wieder auf heimischem Boden fühlte, ärgerte er sich plötzlich darüber, daß er sich diesen ahnungslosen

Primitivling aufgeladen hatte, der über die Angelegenheiten der Galaxis soviel wußte, wie eine Stechmücke aus Ilford über das Leben in Peking.

»Was soll das heißen, du kennst ihn?« forschte er. »Das hier ist Zaphod Beeblebrox von Beteigeuze Fünf, kapiert? Nicht irgend so ein saublöder Martin Smith aus Croydon!«

»Ist mir schnuppe«, sagte Arthur frostig, »wir kennen uns, stimmt's, Zaphod Beeblebrox – oder soll ich lieber . . . Phil zu Ihnen sagen?«

»Was?« rief Ford aus.

»Da müssen Sie mir schon auf die Sprünge helfen«, sagte Zaphod, »ich habe ein schrecklich schlechtes Artengedächtnis.«

»Es war auf einer Party«, hakte Arthur nach.

»Ach ja? Na, das bezweifele ich«, sagte Zaphod.

»Reiß dich bitte zusammen, Arthur!« verlangte Ford.

Arthur ließ sich nicht kirre machen. »Auf einer Party vor sechs Monaten. »Auf der Erde . . . in England . . .«

Zaphod schüttelte verkniffen lächelnd den linken Kopf.

»London«, beharrte Arthur, »Islington.«

»Ach so«, sagte Zaphod mit schuldbewußtem Erschrecken, »*diese* Party.«

Ford gegenüber war das nicht sehr fair. Der guckte zwischen Arthur und Zaphod hin und her. »Was?« sagte er zu Zaphod. »Du willst damit doch wohl hoffentlich nicht sagen, du hättest dich auf diesem mistigen kleinen Planeten rumgetrieben?«

»Nein, natürlich nicht«, sagte Zaphod lebhaft. »Schön, ich habe vielleicht mal kurz vorbeigeschaut, nicht wahr, als ich woandershin wollte . . .«

»Mann, ich hab da fünfzehn Jahre festgesessen!«

»Tja, das wußte ich doch nicht.«

»Was hast du denn da gemacht?«

»Mich halt ein bißchen umgesehen, nicht?«

»Er platzte uneingeladen in eine Party rein«, sagte Arthur, zitternd vor Wut, »ein Kostümfest war's . . .«

»Na, das mußte es ja wohl sein, oder?« sagte Ford.

»Auf diesem Fest«, fuhr Arthur hartnäckig fort, »war ein Mädchen . . . ach, was soll's, jetzt ist es ja sowieso egal. Der ganze Krempel hat sich ja eh in Rauch aufgelöst . . .«

»Vielleicht hörst du bald mal auf, ewig über deinen verdammten Planeten zu flennen«, sagte Ford. »Wer war denn die Lady?«

»Och, halt jemand. Na, okay, ich kam nicht richtig an sie ran. Ich hab's den ganzen Abend probiert. Verdammt noch mal, sie hatte eben einfach was. Schön war sie, charmant, zum Verrücktwerden intelligent. Endlich hatte ich sie ein bißchen für mich und setzte ihr grade mit einer kleinen Plauderei zu, da kreuzt dein Freund hier auf und sagt: *He Puppe, langweilt der Typ dich nicht? Warum unterhältst du dich nicht lieber mit mir? Ich bin von einem andern Stern.* Ich habe sie nie wieder gesehen.«

»Zaphod?« rief Ford aus.

»Ja«, sagte Arthur, starrte ihn an und versuchte, sich nicht dämlich vorzukommen. »Er hatte bloß zwei Arme und einen Kopf und nannte sich Phil, aber . . .«

»Aber du mußt doch zugeben, er war wirklich von einem andern Stern«, sagte Trillian, die plötzlich auf der anderen Seite der Kommandozentrale ins Blickfeld spazierte. Sie warf Arthur einen freundlichen Blick zu, der ihn wie eine Tonne Backsteine traf, dann wandte sie ihre Aufmerksamkeit wieder den Kontrollinstrumenten des Raumschiffs zu.

Ein paar Sekunden lang herrschte Schweigen, dann krochen aus dem heillosen Kuddelmuddel, das Arthurs Hirn darstellte, ein paar Worte hervor.

»Tricia McMillan?« sagte er. »Was machst du denn hier?«

»Dasselbe wie du«, sagte sie, »ich bin getrampt. Was sollte ich mit 'm Doktor in Mathe und einem in Astrophysik denn schließlich sonst tun? Es gab nur das oder aber mich jeden Montag nach Arbeitslosenunterstützung anstellen.«

»Unendlich minus eins«, schnatterte der Computer, »Unwahrscheinlichkeit erreicht.«

Zaphod sah sich um, sah Ford an, dann Arthur und dann Trillian.

»Trillian«, sagte er, »passiert so was jedesmal, wenn wir den Unwahrscheinlichkeitsdrive einschalten?«

»Sehr wahrscheinlich, fürchte ich«, sagte sie.

14

Lautlos floh die »Herz aus Gold« durch die Nacht des Universums davon, nun mit dem konventionellen Photon-Drive. Ihrer vierköpfigen Besatzung war der Gedanke gar nicht recht, daß sie weder aus freiem Willen noch einfach durch Zufall, sondern aufgrund einer sonderbaren Verirrung der Physik zusammengetroffen waren – so als reagierten die Beziehungen unter Menschen auf dieselben Gesetze wie die Beziehungen zwischen Atomen und Molekülen.

Als die künstliche Nacht des Raumschiffs hereinbrach, zogen sie sich alle in ihre Kabinen zurück und versuchten, Ordnung in ihre Gedanken zu bringen.

Trillian konnte nicht schlafen. Sie saß auf der Couch und starrte einen kleinen Käfig an, der ihre letzte und einzige Verbindung zur Erde enthielt – zwei weiße Mäuse, auf deren Mitnahme sie Zaphod gegenüber bestanden hatte. Sie hatte fest damit gerechnet, den Planeten niemals wiederzusehen, aber ihre Erschütterung über die Nachricht von seiner Zerstörung beunruhigte sie doch sehr. Er erschien ihr so weit entfernt und unwirklich, und sie konnte sich mit keinem Gedanken auf ihn einstellen. Sie sah zu, wie die Mäuse im Käfig herumhuschten und aufgeregt in ihren kleinen Plastiktretmühlen rumtrippelten, bis sie ihre ganze Aufmerksamkeit in Anspruch nahmen. Sie schüttelte sich plötzlich und ging wieder in die Kommandozentrale zurück, um die winzigen blinkenden Lichter und Zahlen zu beobachten, die den Weg des

Raumschiffs durch die Leere des Universums anzeigten. Nur zu gern hätte sie gewußt, was es eigentlich war, worüber sie die ganze Zeit nicht nachzudenken versuchte.

Zaphod konnte nicht schlafen. Auch er hätte gern gewußt, was es eigentlich war, worüber er einfach nicht nachdenken wollte. Denn so weit er zurückdenken konnte, hatte er unter dem unbestimmten und quälenden Gefühl gelitten, nicht ganz dicht im Oberstübchen zu sein. Meistens gelang es ihm, diesen Gedanken zu verdrängen und sich weiter keine Sorgen darum zu machen, aber durch das plötzliche und unerwartete Auftauchen von Ford Prefect und Arthur Dent war der Gedanke wieder zu neuem Leben erwacht. Irgendwie paßte er ganz offensichtlich in ein Muster, das ihm verborgen blieb.

Ford konnte nicht schlafen. Ihn nahm viel zu sehr mit, daß er endlich wieder »on the road« war. Fünfzehn Jahre, die er praktisch im Gefängnis zugebracht hatte, waren vorbei, und das in einem Augenblick, wo er schließlich begonnen hatte, alle Hoffnung aufzugeben. Sich ein bißchen mit Zaphod rumzutreiben, versprach eine Menge Spaß, obwohl an seinem Halbcousin offenbar irgendwas ein bißchen seltsam war, bloß konnte er nicht sagen, was. Daß Zaphod Präsident der Galaxis geworden war, kam ihm offen gesagt genauso erstaunlich vor wie die Art und Weise, wie er diesen Posten wieder verlassen hatte. Ob da wohl irgendein Grund dahintersteckte? Es wäre natürlich zwecklos, Zaphod selbst danach zu fragen, der hatte anscheinend für nichts, was er tat, einen Grund: der hatte die Unergründlichkeit zur Kunst erhoben. Er ging alles im Leben mit einer Mischung aus enormer Begabung und naiver Unfähigkeit an, und es war oft schwer zu sagen, was nun was war.

Arthur schlief: er war furchtbar müde.

Es klopfte an Zaphods Tür. Sie glitt auf.
»Zaphod . . .?«
»Ja?«

Trillian war als Silhouette in dem Lichtoval zu erkennen.

»Ich glaube, wir haben eben gefunden, wonach du suchen wolltest.«

»Was? Wirklich?«

Ford gab den Versuch auf, doch noch einzuschlafen. In einer Ecke seiner Kabine stand ein kleiner Computer mit Bildschirm und Tastatur. Er setzte sich einen Moment lang an ihn und versuchte, für den *Anhalter* einen neuen Artikel über das Thema Vogonen zustandezubringen, es fiel ihm aber nichts ein, was ihm bissig genug war, also gab er's auf, wickelte sich in seinen Mantel und spazierte rüber in die Kommandozentrale.

Beim Reinkommen sah er zu seinem Erstaunen zwei Gestalten sich aufgeregt über die Instrumente beugen.

»Siehst du? Unser Raumschiff schwenkt in eine Umlaufbahn ein«, sagte Trillian. »Dort gibt es einen Planeten. An exakt den Koordinaten, die du vorausgesagt hast.«

Zaphod hörte ein Geräusch und sah auf.

»Ford«, flüsterte er. »He, komm her und sieh dir das mal an.«

Ford ging hin und sah sich das mal an. Es handelte sich um eine Reihe von Zahlen, die über den Bildschirm flimmerten.

»Erkennst du die galaktischen Koordinaten dort wieder?« fragte Zaphod.

»Nein.«

»Ich mach's dir ein bißchen leichter. Computer!«

»Hallo, Freunde!« plapperte der Computer begeistert los. »Das wird ja richtig gemütlich hier, was?«

»Schnauze«, sagte Zaphod, »und schalte die Monitore ein.«

Das Licht in der Kommandozentrale wurde dunkler. Winzige Lichtpünktchen hüpften über die Schaltpulte und spiegelten sich in den vier Augenpaaren, die zu den Außenmonitoren hochstarrten.

Es war absolut nichts auf ihnen zu sehen.

»Erkennst du das?« flüsterte Zaphod.

Ford runzelte die Stirn.

»Äh . . . nein«, sagte er.

»Was siehst du?«

»Nichts.«

»Erkennst du es also?«

»Wovon redest du eigentlich?«

»Wir befinden uns mitten im Pferdekopfnebel. Einer einzigen gewaltigen dunklen Wolke.«

»Und die soll ich auf dem leeren Bildschirm erkennen?«

»Ein dunkler Nebel ist der einzige Ort in der ganzen Galaxis, wo man einen leeren Bildschirm sieht.«

»Na, herrlich.«

Zaphod lachte. Er war offensichtlich über irgendwas total aus dem Häuschen, beinahe wie ein kleines Kind.

»Mann, das ist doch wirklich irre, das ist ja einfach nicht zu glauben!«

»Was ist denn so irre daran, daß wir in einer Staubwolke festhängen?« fragte Ford.

»Was würdest du meinen, was man hier finden kann?«

»Nichts.«

»Keine Sterne? Keine Planeten?«

»Nein.«

»Computer«, rief Zaphod, »dreh doch mal den Sichtwinkel um hundertachtzig Grad, aber halt die Klappe!«

Einen Augenblick lang hatte es den Anschein, als passiere gar nichts, dann glühte etwas Helles in einer Ecke des riesigen Bildschirms auf. Ein roter Stern von der Größe eines kleineren Planeten kroch über den Monitor weg, rasch gefolgt von einem zweiten – ein Doppelsystem. Dann erschien ein riesiger Halbmond in der Ecke des Bildes – ein rotes Gleißen, das sich in tiefer Dunkelheit verlor, der Nachtseite des Planeten.

»Ich habe ihn gefunden!« schrie Zaphod und hämmerte auf das Schaltpult. »Ich habe ihn gefunden!«

Ford starrte verblüfft auf den Monitor.

»Was ist das denn?« fragte er.

»Das . . .«, sagte Zaphod, »ist der unwahrscheinlichste Planet, den es je gab.«

(Auszug aus dem Reiseführer *Per Anhalter durch die Galaxis*, Seite 634784, Abschnitt 5a. Stichwort: *Magrathea*)

In grauer Vorzeit, in jenen großen und ruhmreichen Tagen des ehemaligen Galaktischen Imperiums war das Leben noch abenteuerlich, ereignisreich und im großen und ganzen steuerfrei.

Da kurvten gewaltige Sternenschiffe auf der Suche nach Heldentaten und Reichtümern zwischen exotischen Sonnen in den entlegensten Gegenden des galaktischen Raums herum. In diesen Tagen war der Mut noch ungebrochen, war das Risiko noch hoch, waren Männer noch richtige Männer, Frauen noch richtige Frauen und kleine pelzige Wesen von Alpha Centauri noch richtige kleine pelzige Wesen von Alpha Centauri. Und alle wagten es noch, unbekannten Schrecken trotzig die Stirn zu bieten, große Taten zu vollbringen und Subjekt und Objekt durch lange und komplizierte Satzkonstruktionen so weit voneinander zu trennen, wie das noch niemand zuvor getan hatte – und so wuchs das Imperium zu seiner Größe heran.

Viele Leute wurden natürlich ungeheuer reich, aber das war völlig selbstverständlich und nichts, weswegen man sich hätte schämen müssen, denn niemand war wirklich arm – zumindest niemand, der der Erwähnung wert gewesen wäre. Doch für diese ungeheuer reichen und erfolgreichen Kaufleute wurde das Leben allmählich notgedrungen ziemlich langweilig und fad, und die Schuld daran schoben sie nach und nach jenen Welten zu, auf denen sie sich niedergelassen hatten – keine stellte sie mehr ganz zufrieden: entweder war das Klima am späteren Nachmittag nicht ganz so, wie es sein sollte, oder der Tag war eine halbe Stunde zu lang, oder das Meer hatte einfach nicht das richtige Rosa.

Und so entstanden die Voraussetzungen für einen phantastischen neuen Industriezweig: die Anfertigung von Luxusplaneten nach individuellen Sonderwünschen. Zu Hause war diese Industrie auf dem Planeten Magrathea, wo Hyperraum-Ingenieure durch weiße Löcher im All Materie ansaugten und sie in liebevoll gestaltete Traumplaneten verwandelten – Goldplaneten, Platinplaneten, Weichgummiplaneten mit Massen von Erdbeben –, die selbst den verwöhntesten Ansprüchen der reichsten Männer der Galaxis genügten.

Und dieses Unternehmen war so erfolgreich, daß Magrathea sehr bald der reichste Planet aller Zeiten wurde, die übrige Galaxis aber in äußerster Armut versank. So brach das ganze System zusammen, das Imperium zerfiel, und ein langes verstocktes Schweigen breitete sich über eine Billion Hunger leidender Welten aus, das nur vom Federgekratze der Gelehrten gestört wurde, die bis tief in die Nacht an pedantischen Traktätchen über den Sinn und Wert politischer Planwirtschaft herumformulierten.

Magrathea selbst verschwand aus dem Gedächtnis, und die Erinnerung an diesen Planeten tauchte bald ins Dunkel der Legende.

Und in diesen aufgeklärten Zeiten jetzt glaubt natürlich niemand auch nur ein Wort von alledem.

16

Arthur wurde durch lautes Streiten geweckt und ging zur Kommandozentrale. Ford fuchtelte mit den Armen in der Luft rum.

»Du bist ja verrückt, Zaphod«, sagte er gerade, »Magrathea ist eine Sage, ein Märchen, eine Geschichte, die Eltern abends ihren Kindern erzählen, wenn sie wollen, daß sie später Volkswirte werden, eine . . .«

»Wir befinden uns bereits in seiner Umlaufbahn«, sagte Zaphod eigensinnig.

»Zaphod, ich habe keine Ahnung, in welcher Umlaufbahn du dich im Augenblick befindest«, sagte Ford, »aber dieses Raumschiff . . .«

»Computer!« schrie Zaphod.

»Oh, nein, bitte nicht . . .«

»Hallo, Freunde. Hier spricht Eddie, euer Bordcomputer, mir geht es phantastisch, Leute, und ich weiß, ich werde auch jede Menge Spaß an all den Programmen haben, mit denen ihr mich netterweise füttert.«

Arthur warf Trillian einen fragenden Blick zu. Sie winkte ihn rein und gab ihm zu verstehen, daß er sich still verhalten solle.

»Computer«, sagte Zaphod, »sag uns noch mal unsere augenblickliche Flugbahn.«

»Aber mit Vergnügen, Kumpel«, gluckerte er, »wir befinden uns im Augenblick in einer Höhe von dreihundert Meilen in einer Umlaufbahn um den sagenhaften Planeten Magrathea.«

»Beweist doch gar nichts«, sagte Ford. »Diesem Computer würde ich nicht mal zutrauen, daß er mir mein Gewicht richtig sagt.«

»Kann ich sofort für dich erledigen, klar«, begeisterte sich der

Computer und spuckte noch mehr Lochstreifen aus. »Ich kann dir deine persönlichen Probleme auf zehn Stellen hinter dem Komma ausrechnen, wenn dir das was hilft.«

Trillian unterbrach ihn.

»Zaphod«, sagte sie, »jeden Moment fliegen wir auf die Tageslichtseite des Planeten«, und setzte hinzu: »Oder als was er sich nun entpuppt.«

»Na, na, was soll das heißen? Der Planet ist doch genau dort, wo ich ihn vorausberechnet habe, oder?«

»Ja, ich weiß, daß hier ein Planet ist. Darüber will ich ja mit niemandem streiten, nur könnte ich Magrathea halt absolut von keinem anderen kalten Felsklumpen unterscheiden. Die Morgendämmerung bricht an, wenn man so will.«

»Okay, okay«, murmelte Zaphod, »laß uns doch wenigstens den Anblick genießen. Computer!«

»Hallo, Freunde! Was kann ich . . .«

»Die Klappe halten und uns noch mal den Planeten zeigen.«

Eine dunkle formlose Masse füllte von neuem die Monitore – der Planet, der unter ihnen wegrollte.

Sie sahen einen Augenblick lang schweigend zu, aber Zaphod platzte bald vor Aufregung.

»Wir überfliegen jetzt seine Nachtseite«, sagte er flüsternd. Der Planet drehte sich weiter.

»Magrathea ist jetzt dreihundert Meilen unter uns . . .«, fuhr er fort. Er versuchte, diesem Augenblick Feierlichkeit zu verleihen, denn er war der Meinung, das sei eigentlich ein großer Augenblick. Magrathea! Er war über Fords skeptische Reaktion verärgert. Magrathea!

»In wenigen Sekunden«, fuhr er fort, »müßten wir sehen, wie . . . Da!«

Der Anblick sprach für sich. Selbst der abgebrühteste Sternentramper kann sich angesichts des spektakulären Schauspiels eines Sonnenaufgangs im All ein Zittern nicht verkneifen, aber ein Doppelsonnenaufgang ist einfach eins der großen Wunder der Galaxis.

Aus der absoluten Schwärze stach plötzlich ein greller Lichtpunkt hervor. Er kroch ganz langsam höher und breitete sich seitlich in einem schmalen Halbkreis aus, und innerhalb von Sekunden tauchten zwei Sonnen auf, Schmelzöfen des Lichts, die den schwarzen Saum des Horizonts mit weißem Feuer versengten. Grellfarbige Strahlen schossen durch die dünne Atmosphäre unter ihnen.

»Die Feuer der Morgendämmerung . . .«, flüsterte Zaphod atemlos. »Die Doppelsonnen Soulianis und Rahm . . .!«

»Oder was auch immer«, sagte Ford ruhig.

»Soulianis und Rahm!« beharrte Zaphod.

Die Sonnen strahlten in die Tiefe des Universums, und leise, geisterhafte Musik klang durch die Kommandozentrale: Marvin summte hämisch vor sich hin, weil er diese Leute so sehr haßte.

Während Ford auf das Lichterspektakel vor ihnen starrte, glühte er vor Erregung, doch nur vor Erregung, einen seltsamen, neuen Planeten zu sehen; es genügte ihm, ihn so zu sehen, wie er war. Es ärgerte ihn ein bißchen, daß Zaphod dem Ganzen unbedingt irgendwelche lächerlichen Hirngespinste aufpfropfen mußte, um was davon zu haben. Dieser ganze Magrathea-Schwachsinn kam ihm einfach kindisch vor. Genügt es denn nicht zu sehen, daß ein Garten schön ist, ohne daß man unbedingt auch glauben muß, daß Feen darin hausen?

Arthur kam diese ganze Geschichte mit Magrathea vollkommen unbegreiflich vor. Er schlich sich zu Trillian rüber und fragte sie, was los sei.

»Ich weiß nur, was Zaphod mir erzählt hat«, flüsterte sie. »Offensichtlich ist Magrathea irgend so was wie eine Legende aus grauer Vorzeit, an die niemand im Ernst glaubt. Ungefähr wie Atlantis auf der Erde, außer daß es in der Legende heißt, die Magratheaner hätten Planeten gebaut.«

Arthur blinzelte zu den Monitoren rüber und hatte das Gefühl, ihm fehle was Wichtiges. Plötzlich war ihm klar, was das war.

»Ob es in diesem Raumschiff wohl irgendwo Tee gibt?« fragte er.

Immer mehr von dem Planeten unter ihnen kam zum Vorschein, während die »Herz aus Gold« auf ihrer Umlaufbahn dahinschoß. Die Sonnen standen mittlerweile hoch am schwarzen Himmel, das Feuerwerk der Morgendämmerung war vorbei, und die Oberfläche des Planeten erschien im normalen Licht des Tages öde und abstoßend – grau, staubig und mit nur verschwommenen Konturen. Sie wirkte tot und kalt wie eine Gruft. Ab und zu tauchten verheißungsvolle Umrisse am fernen Horizont auf – Schluchten, vielleicht Berge, vielleicht sogar Städte –, doch wenn sie näher kamen, verschwammen die Linien, lösten sich auf und bedeuteten nichts mehr. Die Oberfläche des Planeten war von der Zeit, der langsamen Bewegung der dünnen, stickigen Luft, die Jahrhundert um Jahrhundert über den Planeten hinweggekrochen war, eingeebnet worden.

Offensichtlich war er sehr, sehr alt.

Ein kurzer Zweifel überfiel Ford, während er beobachtete, wie die graue Landschaft unter ihnen vorbeizog. Die Unermeßlichkeit der Zeit ängstigte ihn, er spürte ihre Gegenwart. Er räusperte sich.

»Also, mal vorausgesetzt, er ist . . .«

»Er ist es«, sagte Zaphod.

» . . . was er nicht ist«, sagte Ford. »Was willst du überhaupt auf ihm? Dort gibt's doch nichts.«

»Nicht auf der Oberfläche«, sagte Zaphod.

»Na schön, setzen wir mal voraus, da ist was. Ich nehme an, du bist nicht hier, um irgendwelche antiken Fabriken auszubuddeln. Hinter was bist du her?«

Einer von Zaphods Köpfen sah weg. Der andere drehte sich um, weil er sehen wollte, wohin der andere guckte, aber der sah sich nichts Bestimmtes an.

»Nun«, sagte Zaphod geziert, »teils ist es Neugier, teils Abenteuerlust, aber vor allem sind es wohl Ruhm und Geld . . .«

Ford warf ihm einen kurzen prüfenden Blick zu. Er hatte sehr stark den Eindruck, daß Zaphod nicht die geringste Ahnung hatte, warum er überhaupt hier war.

»Wißt ihr, der Anblick dieses Planeten gefällt mir ganz und gar nicht«, sagte Trillian zitternd.

»Ach, darüber mußt du einfach hinwegsehen«, sagte Zaphod, »schon mit der Hälfte der Schätze des ehemaligen Galaktischen Imperiums, die irgendwo auf ihm gehortet liegen, kann er sich's leisten, schäbig auszusehen.«

Quatsch, dachte Ford. Selbst mal angenommen, dies war die Heimat irgendeiner antiken Zivilisation, die inzwischen vergangen war, selbst mal eine Reihe äußerst unwahrscheinlicher Dinge vorausgesetzt – auf gar keinen Fall konnten dort irgendwo riesige Schätze gehortet liegen, die irgendwie immer noch einen Sinn hätten. Er zuckte die Achseln.

»Ich glaube, das ist einfach nur ein toter Planet«, sagte er.

»Die Spannung bringt mich noch um«, sagte Arthur gereizt.

Streß und nervöse Spannungen sind jetzt in allen Gegenden der Galaxis ernsthafte soziale Probleme, und damit diese Situation nicht noch weiter verschärft wird, sollen die folgenden Tatsachen schon im voraus verraten werden.

Der fragliche Planet ist tatsächlich das sagenhafte Magrathea.

Der tödliche Raketenangriff, der in Kürze von einem uralten automatischen Verteidigungssystem ausgehen wird, hat lediglich zur Folge, daß drei Kaffeetassen und ein Mäusekäfig zu Bruch gehen, daß sich jemand eine Prellung am Oberarm zuzieht und daß zu unpassender Zeit und am unpassenden Ort ein Petunientopf und ein unschuldiger Pottwal entstehen und ganz plötzlich auch wieder hinscheiden müssen.

Damit aber ein bißchen Spannung erhalten bleibt, wird jetzt noch nicht verraten, wer sich den Oberarm prellen wird. Dieser Umstand kann getrost zum Spannungselement erhoben werden, zumal er nicht die geringste Bedeutung hat.

17

Nach einem ziemlich zitterigen Start in den neuen Tag war Arthur auf dem besten Weg, sich aus dem Scherbenhaufen wieder hochzurappeln, in dem der vorhergehende Tag ihn hatte hocken lassen. Er hatte eine Nutri-Matic-Maschine gefunden, die ihm eine Plastiktasse mit einer Flüssigkeit verabreichte, die ein bißchen (aber eben nicht ganz) anders als Tee schmeckte. Es war sehr interessant, wie die Maschine funktionierte. Wenn man auf einen »Drink«-Knopf drückte, nahm sie sofort eine kurze, wenn auch äußerst sorgfältige Untersuchung der Geschmacksknospen der betreffenden Person und eine spektroskopische Analyse ihres Stoffwechsels vor und schickte dann über die Nervenbahnen des Betreffenden winzige Testsignale an die Geschmackszentren im Gehirn, um festzustellen, was ihm wohl am ehesten schmecken würde. Es wußte aber niemand so recht, warum sie das tat,denn sie rückte so oder so eine Tasse mit einer Flüssigkeit heraus, die ein bißchen (aber eben nicht ganz) anders als Tee schmeckte. Entwickelt und hergestellt wurde die Nutri-Matic von der Sirius-Kybernetik-Corporation, deren Beschwerdeabteilung heute alle größeren zusammenhängenden Landmassen der ersten drei Planeten im Sirius-Tau-Sternensystem einnimmt.

Arthur trank die Flüssigkeit und fand sie erfrischend. Er guckte wieder zu den Monitoren hoch und sah ein paar weitere hundert Meilen ödes Grau vorbeiziehen. Plötzlich fiel ihm ein, daß er eine Frage stellen wollte, die ihn die ganze Zeit beunruhigt hatte.

»Ist dieser Planet auch nicht gefährlich?« fragte er.

»Magrathea ist schon seit fünf Millionen Jahren tot«, sagte Zaphod, »natürlich ist er völlig ungefährlich. Sogar seine Gespenster haben sich mittlerweile bestimmt zur Ruhe gesetzt und Familien gegründet.«

Worauf plötzlich ein merkwürdiger, völlig unerklärlicher Ton durch die Kommandozentrale zitterte – wie der Klang einer fernen Fanfare, ein hohler, schriller, wesenloser Ton. Ihm folgte eine ebenso hohle, schrille, wesenlose Stimme. Die Stimme sagte: *»Seid mir gegrüßt . . .«*

Irgend jemand von dem toten Planeten sprach zu ihnen.

»Computer«, rief Zaphod.

»Hallo, Freunde!«

»Was, bei allen Photonen, ist das da?«

»Och, bloß irgend so 'n fünf Millionen altes Tonband, das uns überspielt wird.«

»Ein was? Ein Tonband?«

»Schschscht!« sagte Ford. »Es spricht schon wieder.«

Die Stimme hörte sich alt, höflich, beinahe liebenswürdig an, hatte aber einen deutlich drohenden Unterton.

»Diese Ansage erfolgt von Band«, sagte sie, *»im Augenblick ist leider niemand von uns zu erreichen. Die Handelskammer von Magrathea dankt für Ihren geschätzten Besuch . . .«*

(»Eine Stimme aus dem antiken Magrathea«, rief Zaphod.

»Okay, okay«, sagte Ford.)

» . . . bedauert jedoch«, fuhr die Stimme fort, *»Ihnen mitteilen zu müssen, daß der gesamte Planet zur Zeit seine Geschäfte eingestellt hat. Wir danken Ihnen. Wenn Sie freundlicherweise Ihren Namen und die Koordinaten eines Planeten hinterlassen wollen, auf dem wir Sie erreichen können, sprechen Sie bitte nach dem Pfeifton.«*

Es folgte ein kurzer Piepton, dann war es still.

»Sie wollen uns unbedingt loswerden«, sagte Trillian nervös. »Was sollen wir machen?«

»Das ist doch bloß ein Tonband«, sagte Zaphod. »Wir machen weiter. Kapiert, Computer?«

»Kapiert«, sagte der Computer und gab dem Raumschiff einen Zacken mehr drauf.

Sie warteten.

Nach ein paar Sekunden war die Fanfare wieder zu hören, dann die Stimme.

»Wir möchten Ihnen versichern, daß sofort nach Wiederaufnahme unserer Geschäfte unsere verehrte Kundschaft in allen wichtigen Modejournalen und Farbbeilagen darauf aufmerksam gemacht wird, daß sie wieder Gelegenheit hat, aus dem Allerbesten unserer Kollektionen zeitgenössischer Geografie ihre Wahl zu treffen.« Der drohende Unterton in der Stimme wurde schärfer. *»Bis dahin danken wir unserer verehrten Kundschaft für ihr freundliches Interesse und bitten sie, uns zu verlassen. Und zwar sofort.«*

Arthur sah sich unter den besorgten Gesichtern seiner Gefährten um.

»Also, ich glaube, wir verduften lieber, was?« schlug er vor.

»Schsch!« sagte Zaphod. »Es besteht absolut kein Grund zur Sorge.«

»Warum sind denn dann alle so gespannt?«

»Sie wollen eben wissen, was los ist«, schrie Zaphod. »Computer, fang mit dem Abstieg in die Atmosphäre an und bereite die Landung vor.«

Diesmal hörte sich die Fanfare ziemlich schwunglos an, aber die Stimme klang jetzt ausgesprochen frostig.

»Es ist äußerst schmeichelhaft«, sagte sie, *»daß Ihre Begeisterung für unseren Planeten so unvermindert anhält, deshalb möchten wir Ihnen versichern, daß die Lenkraketen, die sich in diesem Augenblick Ihrem Raumschiff nähern, nur ein Teil unseres Sonderservice sind, den wir unseren begeistertsten Kunden zuteil werden lassen, und daß die entsicherten Atomsprengköpfe natürlich bloß eine kleine Geste der Höflichkeit darstellen. Wir würden uns freuen, Sie als Kunden im nächsten Leben begrüßen zu können . . . Vielen Dank.«*

Die Stimme schaltete sich ab.

»Oh«, sagte Trillian.

»Äääääh . . .«, sagte Arthur.

»Und jetzt?« sagte Ford.

»Hört mal«, sagte Zaphod, »wann begreift ihr das endlich? Das ist bloß ein Tonband. Es ist Millionen von Jahren alt. Es richtet sich nicht an uns, kapiert?«

»Und was«, sagte Trillian ganz ruhig, »ist mit den Raketen?«

»Raketen? Mach dich nicht lächerlich.«

Ford tippte Zaphod auf die Schulter und zeigte auf den Heckmonitor. In der Ferne hinter ihnen stiegen deutlich erkennbar zwei silberne Pfeile durch die Atmosphäre in Richtung Raumschiff auf. Ein rascher Wechsel in der Vergrößerung zeigte sie nah und scharf – zwei erschreckend echte Raketen, die durch den Himmel donnerten.

Daß sie so plötzlich da waren, wirkte wie ein Schock.

»Ich glaube, sie versuchen sehr wohl, sich an uns zu richten«, sagte Ford.

Zaphod starrte sie verdutzt an.

»Mann, das ist ja irre«, sagte er. »Irgend jemand da unten versucht, uns umzubringen!«

»Grauenhaft«, sagte Arthur.

»Kapiert ihr denn nicht, was das heißt?«

»Klar. Wir werden sterben.«

»Ja, aber davon mal abgesehen.«

»Davon *abgesehen?*«

»Das heißt doch, wir müssen auf irgendwas gestoßen sein!«

»Wie schnell kommen wir hier weg?«

Mit jeder Sekunde wurde das Bild der Raketen auf dem Monitor größer. Sie waren jetzt auf direkten Zielflug eingeschwenkt, so daß man von ihnen nur noch die Sprengköpfe sah, Kopf voran.

»Nur mal interessehalber«, sagte Trillian, »was machen wir jetzt?«

»Einfach cool bleiben«, sagte Zaphod.

»Ist das alles?« schrie Arthur.

»Nein, wir machen außerdem . . . äääh . . . ein paar Ausweichmanöver!« sagte Zaphod mit einem plötzlichen Anflug von Panik.

»Computer, welche Ausweichmanöver können wir machen?«

»Äh, Leute, ich fürchte, gar keine«, sagte der Computer.

» . . . oder was anderes«, sagte Zaphod, » . . . äh . . .«, sagte er.

»Ich glaube, in meinem Steuerungssystem klemmt was«, verkündete fröhlich der Computer, »Einschlag in fünfundvierzig Sekunden. Sagt doch bitte Eddie zu mir, wenn's euch beruhigt.«

Zaphod versuchte, in mehrere gleicherweise entscheidende Richtungen gleichzeitig zu rennen.

»Ganz recht!« sagte er. »Äh . . . wir müssen das Schiff auf Handsteuerung umstellen.«

»Kannst du es denn fliegen?« fragte Ford erfreut.

»Nein, du?«

»Nein.«

»Trillian, du?«

»Nein.«

»Na schön«, sagte Zaphod erleichtert, »dann machen wir es eben alle zusammen.«

»Ich kann's auch nicht«, sagte Arthur, der es an der Zeit fand, sich bemerkbar zu machen.

»Das hatte ich mir schon gedacht«, sagte Zaphod. »Okay, Computer, ab sofort volle Handsteuerung.«

»Bitte sehr«, sagte der Computer.

Mehrere gewaltige Schaltpulte klappten auf, und ganze Batterien von Armaturen kamen rausgehüpft und überschütteten alle mit Styroporkügelchen und Bällchen aus zusammengerolltem Cellophan – diese Instrumente hatte noch keiner ausgepackt.

Zaphod starrte sie wütend an.

»Okay, Ford«, sagte er, »voller Schub zurück und zehn Grad Steuerbord. Oder so was Ähnliches . . .«

»Viel Glück, Jungs«, zwitscherte der Computer, »Einschlag in dreißig Sekunden . . .«

Ford hechtete an die Steuerinstrumente – nur wenige kamen ihm irgendwie bekannt vor, darum bediente er sie. Das Raumschiff bebte und ächzte, als die Steuerraketen es in alle Richtungen gleichzeitig zu schießen versuchten. Er ließ die Hälfte der Instrumente los, und das Raumschiff jagte in einer scharfen Kurve herum und fegte in die gleiche Richtung davon, aus der es gekommen war, genau auf die Raketen zu.

Luftkissen knallten aus den Wänden, als die vier dagegengeschleudert wurden. Ein paar Sekunden lang drückte sie die Fliehkraft platt und nahm ihnen den Atem, so daß sie sich nicht bewegen konnten. Zaphod kämpfte und stemmte sich mit rasender Verzweiflung dagegen an und schaffte es schließlich, einem kleinen Hebel, der zum Steuerungssystem gehörte, einen Tritt zu versetzen.

Der Hebel brach ab. Das Schiff machte eine scharfe Drehung und schoß nach oben. Die Besatzung fetzte es quer durch die Kabine nach hinten. Fords Reiseführer *Per Anhalter durch die Galaxis* flog in eine andere Ecke des Schaltpults – mit dem Resultat, daß er erstens jedem, der es hören wollte, erklärte, wie man am geschicktesten antarische Sittichdrüsen aus Antares rausschmuggelt (eine antarische Sittichdrüse, auf ein Hölzchen gespießt, ist eine ekelhafte, aber äußerst begehrte Cocktaildelikatesse, für die steinreiche Idioten Unsummen bezahlen, um andere steinreiche Idioten zu beeindrucken), und zweitens fiel das Raumschiff plötzlich wie ein Stein vom Himmel.

Ungefähr in diesem Augenblick geschah es natürlich, daß sich einer von der Besatzung eine böse Prellung am Oberarm zuzog. Das sollte man besonders hervorheben, denn wie wir ja bereits verraten haben, kommen unsere Freunde ansonsten ohne den geringsten Schaden davon, und auch die tödlichen Atomraketen treffen nicht etwa schließlich doch noch das Raumschiff. Die Sicherheit der Besatzung der »Herz aus Gold« ist absolut gewährleistet.

»Einschlag in zwanzig Sekunden, Jungs . . .«, sagte der Computer.

»Dann stell doch die verdammten Triebwerke wieder an!« schnauzte Zaphod.

»Aber selbstverständlich, Leute«, sagte der Computer. Mit einem subtilen Donner zündeten die Triebwerke, das Raumschiff wurde sanft aus seinem Sturzflug abgefangen und sauste wieder auf die Raketen zu.

Der Computer fing an zu singen.

»O Welt, ich muß dich lassen . . .«, wimmerte er nasal, *»ich fahr dahin . . .«*

Zaphod schrie ihn an, er solle gefälligst die Klappe halten, aber seine Stimme verlor sich im Getöse dessen, was die vier völlig zu Recht für die auf sie zueilende Katastrophe hielten.

»Ich fahr dahin . . . mein Straßen . . . ins ewig Vaterland!« jammerte Eddie.

Als das Raumschiff den Sturzflug abgefangen hatte, flog es mit dem Bauch nach oben weiter, und da nun alle an der Kabinendecke hingen, war es ihnen natürlich auch absolut unmöglich, an die Steuerung heranzukommen.

»Mein Geist will ich aufgeben . . .«, sang Eddie mit Inbrunst.

Die beiden Raketen, die auf das Raumschiff zudonnerten, wurden groß und bedrohlich auf den Monitoren sichtbar.

» . . . dazu mein Leib und Leben . . .«

Durch einen ungewöhnlich glücklichen Zufall hatten die Raketen aber ihre Flugbahn noch nicht exakt korrigiert und schossen genau unter dem ziellos herumkurvenden Raumschiff weg.

»Mein Zeit ist nun vollendet . . . revidierte Zeit bis zum Einschlag fünfzehn Sekunden, Leute . . . *der Tod das Leben endet . . .«*

Kreischend vollzogen die Raketen eine Kehrtwendung und gingen wieder auf Zielkurs.

»Das wär's dann also«, sagte Arthur, der das beobachtete, »jetzt müssen wir also endgültig dran glauben, oder?«

»Du tätst mir'n Gefallen, wenn du endlich davon aufhören würdest«, sagte Ford.

»Aber es stimmt doch, oder?«

»Ja.«

»*Sterben ist mein Gewinn*«, sang Eddie.

Da kam Arthur plötzlich ein Gedanke. Er rappelte sich hoch.

»Warum dreht eigentlich keiner dieses Unwahrscheinlichkeits-dingsbums an?« fragte er. »Da kämen wir doch wahrscheinlich ran.«

»Was, bist du verrückt geworden?« sagte Zaphod. »Ohne die richtige Programmierung kann alles mögliche passieren.«

»Macht das jetzt noch was aus?« rief Arthur.

»*Kein Bleiben ist auf Erden . . .*«, sang Eddie.

Arthur kletterte an einem der enervierend vieleckig gestalteten Simse zwischen der Krümmung der Wand und der Decke nach oben.

»*. . . das Ewge muß mir werden . . .*«

»Kann mir jemand sagen, warum Arthur den Unwahrscheinlich-keitsdrive nicht einschalten kann?« schrie Trillian.

»*Mit Fried und Freud fahr ich dahin* . . . Einschlag in fünf Sekun-den, es war nett bei euch, Jungs, Gott segne . . . *Mit Fried und* . . . *Freud* . . . *fahr ich* . . . *dahin!*«

»Ich fragte soeben«, schrie Trillian, »ob mir jemand sagen kann . . .«

Was dann passierte, war eine nervenzerfetzende Explosion aus Licht und Lärm.

Und was dann passierte, war, daß die »Herz aus Gold« ihre Fahrt völlig normal, allerdings mit einer bezaubernd umdekorier-ten Inneneinrichtung fortsetzte. Irgendwie war sie größer gewor-den und in geschmackvollen grünen und blauen Pastelltönen aus-gestaltet. Eine Wendeltreppe in der Mitte, die eigentlich nirgendwohin führte, stand in einem Arrangement aus Farnen und gelben Blumen, und gleich daneben, in einem steinernen Sockel mit einer Sonnenuhr darauf, war das Hauptcomputer-Terminal untergebracht. Geschickt verteilte Lampen und Spiegel vermittelten den Eindruck, man stünde in einem Wintergarten mit Blick über einen weiten Teil eines wundervoll gepflegten Gartens. Um den äußeren Rand des Wintergartens standen Marmortische auf kunstvoll geschmiedeten Eisenbeinen. Wenn man auf die polierten Oberflächen des Marmors blickte, wurden verschwommen die Umrisse der Instrumente sichtbar, und wenn man sie berührte, dann materialisierten sie sich einem augenblicklich unter den Händen. Wenn man die Spiegel aus dem richtigen Winkel betrachtete, spiegelten sie alle erforderlichen Computerdaten wider, obwohl es alles andere als klar war, woher sie sie widerspiegelten. Alles war wirklich auffallend schön.

Zaphod Beeblebrox machte es sich in einem Korbliegestuhl bequem und fragte: »Was zum Teufel ist eigentlich passiert?«

»Also, ich wollte gerade sagen«, sagte Arthur und räkelte sich an einem kleinen Fischteich, »wir haben doch diesen Unwahrscheinlichkeitsdrive-Schalter da drüben . . .«, und er wedelte zu der Stelle rüber, an der er mal gewesen war. Dort stand jetzt eine Topfpflanze.

»Wo sind wir denn eigentlich?« fragte Ford, der auf der Wendeltreppe saß, einen herrlich kühlen Pangalaktischen Donnergurgler in der Hand.

»Genau, wo wir waren, glaube ich . . .«, sagte Trillian, als mit einemmal alle Spiegel um sie herum wieder die öde Landschaft Magratheas zeigten, die noch immer unter ihnen vorbeiraste.

Zaphod sprang von seinem Stuhl hoch.

»Und was ist mit den Raketen passiert?« fragte er.

Ein neues und höchst erstaunliches Bild erschien in den Spiegeln.

»Es sieht so aus«, sagte Ford unsicher, »als hätten sie sich in einen Petunientopf und einen Walfisch verwandelt, der sehr verdutzt aus der Wäsche guckt . . .«

»Bei einem Unwahrscheinlichkeitsfaktor«, schaltete sich Eddie ein, der sich überhaupt nicht verändert hatte, »von eins zu acht Millionen siebenhundertsiebenundsechzigtausendeinhundert-achtundzwanzig.«

Zaphod starrte Arthur an.

»Bist du darauf bekommen, Frdling?« fragte er.

»Naja«, sagte Arthur, »ich hab eigentlich bloß . . .«

»Das war sehr gut gedacht, ist dir das klar? Den Unwahr-scheinlichkeitsdrive für'n Moment lang in Gang zu setzen, ohne vorher die Kontrollmonitore einzuschalten . . . Mann, Junge, du hast uns das Leben gerettet, ist dir das klar?«

»Ach«, sagte Arthur, »das war doch wirklich gar nichts . . .«

»Ach nein?« sagte Zaphod. »Na schön, dann vergiß es. Okay, Computer, setze zur Landung an.«

»Aber . . .«

»Ich sagte, vergiß es.«

Eine andere Sache, die in Vergessenheit geriet, war die Tatsa-che, daß entgegen aller Wahrscheinlichkeit plötzlich ein paar Meilen über dem fremden Planeten ein Pottwal sein Leben be-gann.

Und da das von Natur aus kein geeigneter Ort für einen Wal ist, hatte dieses arme Geschöpf nur sehr wenig Zeit, sich über sei-ne Identität als Wal klarzuwerden, ehe es sich darüber klarwerden mußte, daß es plötzlich kein Wal mehr war.

Hier folgt nun eine vollständige Wiedergabe der Gedanken des Wals von dem Augenblick, als er sein Leben begann, bis zu dem Augenblick, als es endete.

Ah . . .! Was passiert denn hier? dachte er.

Äh, Entschuldigung, wer bin ich?

Hallo?

Warum bin ich hier? Was ist der Sinn meines Lebens?

Was meine ich wohl mit der Frage: Wer bin ich?

Nun mal ruhig! Guck erst mal, was hier überhaupt los ist . . .
Oh! Das ist aber ein interessantes Gefühl, was ist das bloß? Es ist
sowas Ähnliches wie . . . ein Gähnen oder Kitzeln in meiner . . .
meinem . . . Also, wahrscheinlich fange ich am besten erst mal
damit an, Namen für die Dinge zu finden, wenn ich aufgrund
von . . . ich nenne es mal Schlußfolgerungen . . . überhaupt Fort-
schritte in dieser . . . ich nenne es mal Welt . . . machen will. Also,
ich nenne es mal meinen Magen.

Gut. Ooooh, jetzt wird's aber ziemlich heftig. Und, he! Was ist
das für ein Pfeifen und Brausen, das an meinem . . . ich nenne es
mal fix Kopf . . . vorbeifegt? Vielleicht könnte ich es . . . Wind
nennen! Ist das ein guter Name? Fürs erste genügt er . . . Vielleicht finde ich später einen besseren dafür, wenn ich weiß, wozu
er überhaupt gut ist. Er muß was verdammt Wichtiges sein, denn
es gibt scheint's eine irrsinnige Menge davon. He! Was ist das
denn für ein Ding? Dieser . . . ich nenne es mal Schwanz – ja,
Schwanz. He! Ich kann damit ja wirklich ziemlich gut hin und her
schlagen, was? Herrlich! Herrlich! Das fühlt sich einfach phantastisch an! Es bringt ja offenbar nicht viel, aber wahrscheinlich
komme ich später noch dahinter, wozu das gut ist. Tja, also – habe ich mir nun schon ein zusammenhängendes Bild von den Dingen gemacht?

Nein.

Macht nichts. He, das ist ja wirklich aufregend, so vieles raus-
zufinden, so vieles, was ich noch vor mir habe, mir wird ganz
schwindlig vor lauter Vorfreude . . .

Oder kommt das vom Wind?

Davon ist aber jetzt wirklich sehr viel da, was? Und, Manno-
mann! Jungejunge! Was ist denn das, was da plötzlich so schnell
auf mich zukommt? So sehr, sehr schnell. So riesig und so flach
und so rund. Das braucht einen riesigen, weiten klingenden Namen . . . wie . . . un . . . und . . . rund . . . Grund! Das ist es! Das ist
ein guter Name – Grund!

Ob er wohl nett zu mir ist?

Und der Rest – nach einem plötzlichen und sehr feuchten Aufprall – war Schweigen.

Komischerweise war der einzige Gedanke, der den Petunientopf beim Herunterfallen durchfuhr: Oh, nein, nicht schon wieder!

Viele Leute vermuten, wir könnten viel größere Kenntnisse vom Wesen des Universums haben als bisher, wenn wir nur genau wüßten, warum der Petunientopf das dachte.

»Nehmen wir den Roboter da mit?« fragte Ford und sah Marvin voll Abscheu an, der linkisch gekrümmt in der Ecke unter einer kleinen Palme stand.

Zaphod löste seinen Blick von den Spiegelwänden, die eine Panoramaansicht der öden Landschaft boten, auf der die »Herz aus Gold« mittlerweile gelandet war.

»Ach, den paranoiden Androiden da«, sagte er. »Ja, den nehmen wir mit.«

»Mann, was willst du denn mit einem manisch-depressiven Roboter?«

»Ihr glaubt wohl, ihr habt Probleme, was?« sagte Marvin, als rede er zu einem eben erst verschlossenen Sarg. »Was würdet ihr wohl tun, wenn ihr manisch-depressive Roboter wärt? Neinnein, versucht bloß nicht zu antworten. Ich bin fünfzigtausendmal intelligenter als ihr, und nicht mal ich weiß die Antwort. Ich kriege schon Kopfschmerzen, wenn ich bloß versuche, mich auf euer Niveau runterzudenken.«

Trillian kam aus ihrer Kabine gestürzt.

»Meine weißen Mäuse sind ausgerückt!« rief sie. Der Ausdruck tiefer Sorge und Anteilnahme zeigte sich weder auf dem einen noch auf dem anderen von Zaphods Gesichtern.

»Ach, zum Kuckuck mit deinen weißen Mäusen«, sagte er.

Trillian warf ihm einen wütenden Blick zu und verschwand wieder.

Möglicherweise hätte ihre Bemerkung größere Aufmerksamkeit erregt, wenn allgemein bekannt gewesen wäre, daß die Menschen nur die drittintelligenteste Bioform auf dem Planeten Erde waren, und nicht (wie von den meisten unabhängigen Beobachtern allgemein angenommen) die zweitintelligenteste.

»Guten Tag, liebe Kinder.«

Die Stimme klang seltsam vertraut, aber seltsam verändert. Sie hatte einen ungewohnt matriarchalischen Unterton und wendete sich an die vier Leute, als sie die Luftschleuse erreichten, durch die sie auf die Oberfläche des Planeten runtersteigen wollten.

Sie sahen sich verwundert an.

»Das ist Eddie«, erklärte Zaphod, »ich habe entdeckt, daß er eine Ersatzpersönlichkeit für den Notfall hat, und die hier schien mir eventuell geeigneter zu sein.«

»Das ist euer erster Tag auf einem neuen, fremden Planeten«, redete Eddies neue Stimme weiter, »zieht euch also alle schön warm an und spielt mir nicht mit irgendwelchen ungezogenen insektenäugigen Monstern rum.«

Zaphod schlug ungeduldig gegen die Luke.

»Sorry«, sagte er, »aber ich glaube, mit einem Rechenschieber wären wir besser bedient.«

»Augenblick«, schnauzte der Computer, »wer hat das gesagt?«

»Würdest du die Güte haben und die Ausstiegsluke öffnen, Computer?« sagte Zaphod, der versuchte, bei Laune zu bleiben.

»Nicht eher, als bis sich der gemeldet hat, der das gesagt hat«, beharrte der Computer und schaltete ein paar von seinen Synapsen ab.

»Oh, Gott«, murmelte Ford, ließ sich gegen ein Schott plumpsen und fing an, bis zehn zu zählen. Er hatte wahnsinnige Angst, daß sensible Bioformen eines Tages vergessen könnten, wie man das macht. Nur indem sie zählten, konnten die Menschen beweisen, daß sie von den Computern unabhängig sind.

»Na, wird's bald?« sagte Eddie streng.

»Computer . . .«, fing Zaphod an.

»Ich warte«, fiel Eddie ihm ins Wort, »ich kann den ganzen Tag warten, wenn's sein muß . . .«

»Computer . . .«, probierte Zaphod es noch einmal. Er hatte die ganze Zeit nach einem Argument gesucht, mit dem er den Computer zum Schweigen bringen könnte, hatte dann aber beschlossen, sich nicht die Mühe zu machen, gegen Eddie auf dessen eigenem Terrain anzutreten. »Wenn du nicht augenblicklich die Ausstiegsluke öffnest, mach ich mal eben einen Satz zu deinem Hauptdatenspeicher rüber und programmiere dich um, und zwar mit einer sehr großen Axt, hast du verstanden?«

Eddie machte äußerst erschreckt eine Pause und dachte darüber nach.

Ford zählte gelassen weiter. Das ist so ungefähr das Gemeinste, was man mit einem Computer machen kann – das ist ungefähr so, als ginge man auf einen Menschen zu und sagte in einem fort *Blut . . . Blut . . . Blut . . . Blut . . .*

Schließlich sagte Eddie friedlich: »Wie man sieht, werden wir an unseren persönlichen Beziehungen noch sehr arbeiten müssen«, und die Luke ging auf.

Ein eisiger Wind blies ihnen entgegen, sie mummelten sich warm ein und stiegen die Rampe hinunter in den trockenen Staub Magratheas.

»Das wird noch alles in Tränen enden, ich weiß das«, schrie ihnen Eddie nach und machte die Luke wieder zu.

Auf einen Befehl hin, der ihn völlig überrumpelte, öffnete und schloß der Computer die Tür ein paar Minuten später noch einmal.

20

Fünf Gestalten wanderten langsam über das öde Land. Zum Teil war es langweilig grau, zum Teil langweilig braun, und der Rest sah eigentlich noch uninteressanter aus. Das Ganze wirkte wie ein ausgetrockneter Sumpf, dem mittlerweile der Pflanzenwuchs abhanden gekommen und der mit einer zwei Finger dikken Staubschicht bedeckt war. Es herrschte eisige Kälte.

Zaphod war darüber sichtlich niedergeschlagen. Er schlich sich allein davon und war bald hinter einer leichten Anhöhe verschwunden.

Der Wind reizte Arthurs Augen und Ohren, und die abgestandene dünne Luft schnürte ihm die Kehle zu. Was jedoch am meisten gereizt war, das war sein Verstand.

»Das ist ja phantastisch . . .«, sagte er und hörte, wie seine eigene Stimme ihm in den Ohren rasselte. Der Ton trug in dieser dünnen Atmosphäre nur sehr schlecht.

»Ein ödes Loch, wenn du mich fragst«, sagte Ford. »In einem Katzenklo würde ich mich besser amüsieren.« Er spürte, wie der Ärger in ihm hochstieg. Mußte es ihn von allen Planeten in allen Sternensystemen der ganzen Galaxis – viele waren romantisch und exotisch und sprühten vor Leben – ausgerechnet auf so eine Schutthalde verschlagen, und das nach fünfzehn Jahren Verbannung? Noch nicht mal ein Würstchenstand war irgendwo zu sehen. Er bückte sich und hob einen kalten Klumpen Erde auf, aber es lag nichts darunter, was die Reise von Tausenden von Lichtjahren wert gewesen wäre.

»Nein«, beharrte Arthur, »begreifst du das nicht? Es ist das erste Mal, daß ich auf einem anderen Planeten stehe . . . eine völlig fremde Welt . . .! Schade, daß es ausgerechnet so eine Müllhalde ist.«

Trillian zog ihren Umhang fester um sich, sie fröstelte und machte ein finsteres Gesicht. Sie hätte schwören können, daß sie eben aus den Augenwinkeln eine winzige, plötzliche Bewegung wahrgenommen hatte, aber als sie in die Richtung blickte, sah sie nur das Raumschiff still und reglos etwa hundert Meter hinter ihnen liegen.

Sie war erleichtert, als sie einen Augenblick später Zaphod sah, der auf dem Gipfel des Hügels stand und ihnen zuwinkte, sie sollten zu ihm raufkommen.

Er schien ziemlich aufgeregt zu sein, aber wegen der dünnen Atmosphäre und wegen des Windes konnte man nicht verstehen, was er sagte.

Als sie den Kamm der Anhöhe erreichten, sahen sie, daß sie kreisrund war – ein Krater von ungefähr hundertfünfzig Metern Durchmesser. Außen um seinen Rand herum war der Boden mit schwarzen und roten Klumpen übersät. Sie blieben stehen und sahen sich einen davon an. Er war feucht. Er fühlte sich wie Gummi an.

Mit Schrecken wurde ihnen plötzlich klar, daß das frisches Walfleisch war.

Am Kraterrand stießen sie auf Zaphod.

»Guckt mal«, sagte er und zeigte in den Krater.

In der Mitte lag der zerfetzte Kadaver eines einsamen Pottwals, der nicht lange genug gelebt hatte, um über sein Schicksal enttäuscht zu sein. Die Stille wurde nur durch ein leichtes unwillkürliches Würgen in Trillians Kehle unterbrochen.

»Es hat wohl keinen Sinn, ihn zu beerdigen«, murmelte Arthur und bereute es im selben Augenblick.

»Kommt mit«, sagte Zaphod und stieg in den Krater hinunter.

»Was? Da runter?« sagte Trillian mit abgrundtiefem Ekel.

»Ja«, sagte Zaphod, »kommt mit, ich muß euch was zeigen.«

»Das sehen wir doch schon«, sagte Trillian.

»Nicht das«, sagte Zaphod, »was anderes. Kommt schon.«

Keiner führte sich.

»Na los«, drängte Zaphod. »Ich habe einen Eingang entdeckt.«

»Eingang?« fragte Arthur entsetzt.

»Ins Innere des Planeten! Einen unterirdischen Gang. Er ist durch den Aufprall des Wals aufgesprengt worden, und da müssen wir rein. Wohin seit fünf Millionen Jahren niemand seinen Fuß gesetzt hat, in die Abgründe der Zeit selbst . . .«

Marvin fing wieder mit seinem hämischen Gesumme an.

Zaphod gab ihm eins auf den Kondensator, und Marvin verstummte.

Mit leichtem Widerwillen folgten sie Zaphod den Abhang hinunter in den Krater, wobei sie es tunlichst vermieden, einen Blick auf dessen unglücklichen Urheber zu werfen.

»Das Leben«, sagte Marvin schwermütig, »hasse oder ignoriere es, lieben kannst du's nicht.«

Der Boden war eingesackt, wo der Wal aufgeprallt war, und hatte ein Netz aus Gängen und Stollen aufgedeckt, das nun von herabgestürztem Schutt und Geröll größtenteils zugeschüttet war. Zaphod hatte schon damit begonnen, einen Zugang zu einem der Gänge freizulegen, aber Marvin schaffte das viel schneller. Naßkalte Luft wehte ihnen aus der dunklen Tiefe entgegen, und als Zaphod mit einer Taschenlampe hineinleuchtete, war in der staubigen Düsternis nur wenig zu erkennen.

»Der Legende nach«, sagte er, »lebten die Magratheaner die meiste Zeit ihres Lebens unter der Erde.«

»Wieso das denn?« fragte Arthur. »War ihnen die Oberfläche zu dreckig oder zu dicht besiedelt?«

»Nein, das glaube ich nicht«, sagte Zaphod. »Ich glaube, sie gefiel ihnen einfach nicht besonders.«

»Weißt du auch genau, was du tust?« fragte Trillian und blinzelte nervös in die Finsternis. »Wir sind doch schon mal angegriffen worden, nicht?«

»Hör mal zu, Kleine, ich versichere dir, die lebende Bevölkerung dieses Planeten ist gleich Null, plus uns vieren, also komm schon und laß uns endlich da reingehen. Ach, äh, Erdling . . .«

»Arthur«, sagte Arthur.

»Jaja. Könntest du vielleicht den Roboter bei dir behalten und sozusagen dieses Ende des Ganges bewachen? Okay?«

»Bewachen?« sagte Arthur. »Wovor denn? Du hast doch eben gesagt, hier wär niemand.«

»Ja schon, halt nur so zur Sicherheit, okay?« sagte Zaphod.

»Wessen Sicherheit? Eure oder meine?«

»Komm, sei lieb. Okay, ab geht's.«

Zaphod kletterte in den Gang hinunter, Trillian und Ford folgten ihm.

»Na, ich hoffe, das wird euch noch so richtig leid tun«, nörgelte Arthur.

»Keine Bange«, versicherte ihm Marvin, »das wird es.«

In wenigen Augenblicken waren die anderen verschwunden.

Arthur stapfte beleidigt in der Gegend rum, bis ihm einfiel, daß ein Walfriedhof vielleicht nicht ganz der richtige Ort sei, um drauf rumzustapfen.

Marvin sah ihm eine Weile düster zu, dann schaltete er sich ab.

Zaphod marschierte in dem Gang rasch weiter, nervös wie eine Tüte Hummeln, was er zu verbergen suchte, indem er zielstrebig weiterlief. Er ließ den Lichtstrahl der Taschenlampe herumwandern. Die Wände waren mit dunklen Kacheln bedeckt und fühlten sich kalt an, Modergeruch hing schwer in der Luft.

»Na, was hab ich euch gesagt?« sagte er. »Ein bewohnter Planet. Magrathea«, und stiefelte weiter durch den Dreck und Schutt, der auf dem gefliesten Boden lag.

Trillian erinnerte das Ganze unwillkürlich an die U-Bahn in London, nur war es hier nicht ganz so dreckig.

In gewissen Abständen machten die Kacheln an den Wänden großen Mosaiken Platz – einfachen eckigen Mustern in leuchtenden Farben. Trillian blieb stehen und sah sich eins genauer an, sie wurde aber nicht schlau draus. Sie rief Zaphod. »He, hast du 'ne Idee, was das für merkwürdige Symbole sind?«

»Ich glaube, das sind wahrscheinlich einfach irgendwelche merkwürdigen Symbole«, sagte Zaphod, der sich nur flüchtig umsah.

Trillian zuckte die Achseln und eilte hinter ihm her.

Ab und zu führten Türöffnungen links oder rechts in kleine Kammern, die, wie Ford entdeckte, bis zum Rand mit verlassenen Computeranlagen vollgepfropft waren. Er zog Zaphod in eine der Kammern, um ihm das zu zeigen.
Trillian kam ihnen nach.

»Also«, sagte Ford, »du behauptest, das hier ist Magrathea...«

»Ja«, sagte Zaphod, »außerdem haben wir doch die Stimme gehört, nicht?«

»Okay, ich will's dir mal abkaufen, daß das Magrathea ist – zumindest für den Augenblick. Bloß hast du bisher noch kein einziges Wörtchen darüber verloren, wie du's um alles in der Galaxis gefunden hast. Im Sternenatlas hast du nicht nachgesehen, das ist mal sicher.«

»Nachforschungen, Regierungsarchive. Detektivarbeit. Ein paar glückliche Vermutungen. Ganz einfach.«

»Und dann hast du die ›Herz aus Gold‹ geklaut, um danach zu suchen?«

»Ich habe sie geklaut, um vieles zu suchen.«

»Vieles?« fragte Ford überrascht. »Was denn zum Beispiel?«

»Das weiß ich nicht.«

»Wie bitte?«

»Ich weiß nicht, was ich suche.«

»Warum denn nicht?«

»Weil... weil... ich glaube, wenn ich's wüßte, würde ich vielleicht nicht mehr danach suchen.«

»Was? Bist du verrückt?«

»Das ist eine Möglichkeit, die ich noch nicht ganz ausgeschlossen habe«, sagte Zaphod ruhig. »Über mich weiß ich nur soviel, wie mein Grips in seinem augenblicklichen Zustand über mich rauskriegen kann. Und sein augenblicklicher Zustand ist nicht gut.«

Lange Zeit sagte keiner ein Wort, während Ford Zaphod mit plötzlicher Besorgnis anstarrte.

»Hör mal zu, alter Freund, wenn du damit sagen . . .«, fing Ford schließlich an.

»Nein, warte . . . ich werde euch etwas erzählen«, sagte Zaphod. »Ihr wißt ja, ich flippe ganz schön rum. Mir fällt irgendwas ein, was ich machen will, und – he! warum nicht? – ich mach's einfach. Ich bilde mir ein, ich werde Präsident der Galaxis, und es passiert einfach, es ist ganz leicht. Ich beschließe, dieses Raumschiff zu stehlen. Ich beschließe, nach Magrathea zu suchen, und alles geschieht einfach so. Ja klar, ich überlege mir, wie man es wohl am besten machen könnte, sicher, aber klappen tut's immer. Das ist so, als hätte man eine Kreditkarte von der Galaktikbank, die nie ungültig wird, obwohl man die Schecks nie abschickt. Und immer, wenn ich mal Luft hole und dahinterzukommen versuche, warum ich das und das denn machen wollte und wie ich's zuwege gebracht habe, empfinde ich den unheimlich starken Wunsch, gar nicht erst darüber nachzudenken. Genau wie jetzt in diesem Moment. Es kostet mich wahnsinnige Mühe, darüber zu reden.«

Zaphod machte eine kleine Pause. Eine Zeitlang herrschte tiefes Schweigen. Mit finsterer Miene fuhr er fort: »Letzte Nacht habe ich wieder darüber nachgegrübelt. Über die Tatsache, daß ein Teil meines Verstandes anscheinend einfach nicht richtig funktioniert. Dann kam mir die Idee, daß möglicherweise jemand anderer meinen Verstand dazu benutzt, gute Einfälle zu haben, ohne mir was davon zu sagen. Ich kombinierte diese beiden Überlegungen und kam zu dem Schluß, daß irgend jemand zu diesem Zweck einen Teil meines Verstandes blockiert haben könnte, was auch erklären würde, warum ich ihn nicht benutzen kann. Ich fragte mich, ob es eine Möglichkeit gäbe dahinterzukommen.

Ich ging runter in die Krankenabteilung unseres Raumschiffs

und schloß mich an den Enzephalographie-Monitor an. Ich führte jeden einigermaßen wichtigen Eignungstest an meinen beiden Köpfen durch – alle Tests, die ich schon bei den Regierungsamtsärzten hatte über mich ergehen lassen müssen, ehe man meine Ernennung zum Präsidenten bestätigen konnte. Sie ergaben nichts. Nichts Unerwartetes zumindest. Sie sagten mir, ich sei gerissen, phantasievoll, pflichtvergessen, unzuverlässig, extrovertiert – nichts, was man nicht schon geahnt hätte. Und keine weiteren Anomalien. Also machte ich mich daran, mir völlig wahllos neue Tests auszudenken. Nichts. Dann versuchte ich, die Testergebnisse des einen Kopfes und die des anderen Kopfes zum Vergleich übereinanderzulegen. Immer noch nichts. Schließlich wurde mir das alles zu blöd, weil ich mir nicht einreden lassen wollte, es handle sich bloß um einen Anfall von Verfolgungswahn. Als letztes, bevor ich mich geschlagen geben wollte, nahm ich die übereinandergelegten Bilder und sah sie mir durch ein Grünfilter an. Weißt du noch, wie versessen ich als Kind auf Grün war? Ich wollte immer Pilot auf einem der Handelsaufklärer werden.«

Ford nickte.

»Und da sah ich es«, sagte Zaphod, »klar wie der lichte Tag. Ein ganzer Bereich in der Mitte beider Hirne stand nur zum jeweils anderen in Verbindung, zu nichts weiter. Irgendein verdammter Mistkerl hatte alle Synapsen weggeätzt und die beiden Kleinhirnteile elektronisch traumatisiert.«

Ford starrte ihn entsetzt an.

Trillian war blaß geworden.

»Das hat jemand mit dir gemacht?« flüsterte Ford.

»Ja.«

»Hast du 'ne Ahnung, wer das gemacht hat? Oder warum?«

»Warum? Das kann ich nur vermuten. Aber wer dieser Mistkerl war, das weiß ich.«

»Das weißt du? Woher weißt du das denn?«

»Weil er seine Initialen in die ausgeätzten Synapsen eingebrannt hat. Er hat sie dort zurückgelassen, damit ich sie finde.«

Ford starrte ihn voller Entsetzen an, er fühlte ein Prickeln auf seiner Haut.

»Initialen? In dein Gehirn gebrannt?«

»Ja, genau.«

»Na und? Wie lauten sie, um Gottes willen?«

Zaphod sah ihn wieder eine Weile schweigend an. Dann sah er weg. »Z. B.«, sagte er leise.

In dem Moment sauste eine Stahltür hinter ihnen herab, und Gas begann in die Kammer zu strömen.

»Ich erzähl euch später davon«, keuchte Zaphod. Dann wurden alle drei ohnmächtig.

Mißgelaunt spazierte Arthur auf der Oberfläche von Magrathea herum.

Ford hatte ihm seinen Reiseführer *Per Anhalter durch die Galaxis* mit Absicht dagelassen, damit er sich mit dem Buch die Zeit vertreiben könne. Wahllos drückte er auf mehrere Knöpfe.

Der Reiseführer Per Anhalter durch die Galaxis *ist ein sehr nachlässig redigiertes Buch, das viele Kapitel enthält, die den Herausgebern damals wohl ungeheuer toll vorkamen. Eins davon (das Arthur jetzt zufällig erwischte) erzählt die Erlebnisse eines gewissen Fiet Vujagig, eines ruhigen und fleißigen Studenten an der Universität von Maximegalon, der Altphilologie, Umwandlungsethik und Historische Erkenntnis mittels Obertönen studierte und eine brillante Universitätskarriere vor sich hatte. Diesen Fiet Vujagig plagte nach einer nächtlichen Sause mit Zaphod Beeblebrox und ungezählten Pangalaktischen Donnergurglern immer brennender die Frage, was wohl mit all den Kugelschreibern passiert sei, die er sich im Laufe der letzten Jahre gekauft und dann* irgendwann verloren hatte.

Es folgte eine lange Phase gewissenhafter Nachforschungen, die ihn durch die ganze Galaxis und zu den Hauptzentren unerwarteter Kugelschreiberverluste führten. Schließlich trat er mit einer kuriosen kleinen Theorie vor die Öffentlichkeit, die damals ziemlich fasziniert davon war. Irgendwo im All, sagte er, gibt es neben all den Planeten, die von Humanoiden, Reptiloiden, Fischoiden, wandelnden Baumoiden und superintelligenten Schatten von blauer Färbung bewohnt werden, auch einen Planeten, der ausschließlich kugelschreiberoiden Lebensformen vorbehalten ist. Und dieser Planet ist es, sagte er, zu dem sich unbeaufsichtigte Kugelschreiber auf den Weg machen, indem sie still und heimlich durch Wurmlöcher im Kosmos in eine Welt entschwinden, in der sie, wie sie wissen, sich eines durch und durch kugelschreiberoiden Lebensstils erfreuen können, der auf weitgehend kugelschreiberorientierte Attraktionen zugeschnitten ist – kurz: in der sie die Kugelschreibervorstellung eines glücklichen Daseins verwirklichen können.

Und wie das mit Theorien so ist, war alles Friede, Freude, Eierkuchen, bis Fiet Vujagig plötzlich behauptete, er habe diesen Planeten gefunden und dort eine Zeitlang als Chauffeur für eine Familie billiger grüner Wegwerfkugelschreiber gearbeitet, woraufhin er verhaftet und eingesperrt wurde, ein Buch schrieb und schließlich in eine Steueroase entlassen wurde, was üblicherweise das Schicksal all derer ist, die sich mit aller Entschlossenheit öffentlich lächerlich machen.

Als eines Tages eine Expedition zu den Raumkoordinaten ausgeschickt wurde, die Vujagig für den Kugelschreiberplaneten angegeben hatte, stieß sie lediglich auf einen kleinen Asteroiden, auf dem ein einsamer alter Mann wohnte, der hartnäckig behauptete, das sei alles nicht wahr – obwohl man später dahinterkam, daß er log. Ungeklärt blieb trotz allem die Frage, wie jedes Jahr die mysteriösen 60000 Atair-Dollars auf sein brantisvogonisches Bankkonto kamen, und natürlich, was es mit Zaphod Bee-

137

blebrox' äußerst lukrativen Geschäften mit gebrauchten Kugelschreibern auf sich hatte.

Arthur las das und legte das Buch beiseite.

Der Roboter saß immer noch da und rührte sich nicht.

Arthur stand auf und stieg zum Gipfel des Kraters hoch. Er
wanderte um den Krater rum. Er sah einem wundervollen Dop-
pelsonnenuntergang über Magrathea zu.

Er stieg wieder in den Krater runter. Er weckte den Roboter,
weil es immer noch besser ist, sich mit einem manisch-depressiven Roboter zu unterhalten, als mit niemandem.

»Es wird Nacht«, sagte er. »Sieh mal, Marvin, die Sterne kommen raus.«

Aus dem Inneren eines dunklen Nebels kann man nur sehr wenige Sterne sehen, und die auch nur sehr schwach, aber sie waren
trotzdem zu erkennen.

Der Roboter sah sie sich gehorsam an, dann wandte er sich
wieder Arthur zu. »Ich weiß«, sagte er. »Widerlich, was?«

»Aber dieser Sonnenuntergang! Nicht mal in meinen verrücktesten Träumen habe ich was Ähnliches gesehen . . . diese zwei
Sonnen! Es war, als brodelten Feuerberge ins All.«

»Ich hab's gesehen«, sagte Marvin. »Alles Schwachsinn.«

»Wir hatten zu Hause aber nur eine Sonne«, – Arthur ließ nicht
locker –, »ich bin von einem Planeten namens Erde, weißt du?«

»Weiß ich«, sagte Marvin, »du redest ja andauernd davon.
Hört sich gräßlich an.«

»Oh nein, es war dort wunderschön.«

»Gab's dort Ozeane?«

»Oh ja«, sagte Arthur und seufzte, »große, weite, wogende
blaue Ozeane, tief und unermeßlich . . .«

»Kann Ozeane nicht ausstehen«, sagte Marvin.

»Sag mal«, erkundigte sich Arthur, »kommst du eigentlich mit
anderen Robotern gut aus?«

»Hasse sie«, sagte Marvin. »Wo gehst du hin?«

Arthur hielt's nicht länger aus. Er war wieder aufgestanden.

»Ich glaube, ich mach nochmal einen kleinen Spaziergang«, sagte er.

»Kann ich verstehen«, sagte Marvin und zählte fünfhundertsiebenundneunzig Milliarden Schäfchen, ehe er eine Sekunde später wieder einschlief.

Arthur schlug die Arme unter die Achseln, um seinen Kreislauf dazu zu kriegen, ein bißchen begeisterter zu arbeiten. Er quälte sich wieder zum Kratergipfel hoch.

Weil die Atmosphäre so dünn war und es keinen Mond gab, brach die Nacht sehr schnell herein, und es war mittlerweile stockfinster. Deshalb rannte Arthur den alten Mann fast um, ehe er ihn bemerkte.

22

Er stand mit dem Rücken zu Arthur und sah dem allerletzten Widerschein des Lichts zu, das hinter dem Horizont in die Finsternis versank. Er war ziemlich groß und alt und nur mit einem langen, grauen Gewand bekleidet. Als er sich umdrehte, sah Arthur, daß sein Gesicht mager und vornehm, sorgenvoll, doch nicht unfreundlich war – halt so ein Gesicht, dem man ohne weiteres sein ganzes Geld anvertrauen würde. Aber noch drehte er sich nicht um, nicht mal auf Arthurs Überraschungsschrei hin.

Schließlich waren die letzten Strahlen der Sonnen verschwunden, und er drehte sich um. Sein Gesicht war immer noch von irgendwoher erleuchtet, und als Arthur nach der Quelle dieses Lichts suchte, sah er ein paar Meter entfernt sowas wie ein kleines Luftschiff stehen – ein kleines Luftkissenfahrzeug, vermutete Arthur. Es verbreitete einen matten Lichtkreis um sich herum.

Der Mann sah Arthur an – traurig, wie's schien.

»Du hast dir aber eine kalte Nacht ausgesucht, um unseren toten Planeten zu besuchen«, sagte er.

»Wer . . . wer sind Sie?« stammelte Arthur.

Der Mann sah weg. Wieder schien ein trauriger Ausdruck über sein Gesicht zu huschen.

»Mein Name tut nichts zur Sache«, sagte er.

Er schien über irgendwas nachzudenken. Eine Unterhaltung war offensichtlich etwas, womit er's seiner Meinung nach nicht allzu eilig haben mußte. Arthur war gar nicht wohl in seiner Haut.

»Ich . . . äh . . . Sie haben mir aber einen Schrecken eingejagt«, sagte er lahm.

Der Mann sah wieder zu ihm hin und zog die Augenbrauen leicht in die Höhe.

»Hmmmm?« sagte er.

»Ich sagte, Sie haben mir aber einen Schrecken eingejagt.«

»Keine Angst, ich tu dir nichts.«

Arthur sah ihn finster an. »Aber ihr habt auf uns geschossen! Mit Raketen . . .«, sagte er.

Der Mann starrte in die Kratersenke. Das schwache Glühen von Marvins Augen warf matte rote Reflexe auf den riesigen Kadaver des Wals.

Der Mann kicherte leise in sich hinein.

»Ein automatisches System«, sagte er und seufzte leise. »Tief unten in den Eingeweiden des Planeten verticken uralte Computer die dunklen Jahrtausende, und die Zeit lastet schwer auf ihren staubigen Datenspeichern. Ich glaube, sie nutzen die Gelegenheit und ballern mal los, um sich ein bißchen über die Eintönigkeit wegzuhelfen.«

Er sah Arthur ernst an und sagte: »Ich bin ein großer Bewunderer der Wissenschaft, nicht wahr.«

»Ach, . . . äh, wirklich?« sagte Arthur, der die merkwürdig freundliche Art des Mannes langsam beunruhigend fand.

»Oh ja«, sagte der alte Mann und hörte einfach wieder auf zu reden.

»Aha«, sagte Arthur, »äh . . .« Er fühlte sich genauso komisch wie der Mann, der im Schlafzimmer einer Frau von deren Ehemann überrascht wird, der einfach in das Zimmer hereinspaziert kommt, sich eine andere Hose anzieht, ein paar nichtssagende Bemerkungen über das Wetter fallen läßt und wieder rausgeht.

»Du wirkst sehr nervös«, sagte der alte Mann mit höflicher Anteilnahme.

»Äh, nein ... das heißt, ja. Verstehen Sie, wir hatten eigentlich nicht erwartet, jemanden von Ihnen vorzufinden. Ich dachte halt irgendwie, daß Sie alle tot sind oder sowas ...«

»Tot?« sagte der Alte. »Ach, du liebe Güte, nein. Wir haben bloß geschlafen.«

»Geschlafen?« fragte Arthur ungläubig.

»Ja, die ganze Wirtschaftsflaute durch, nicht?« sagte der alte Mann, den offenkundig überhaupt nicht interessierte, ob Arthur auch nur ein Wort von dem kapierte, was er sagte, oder nicht.

Arthur mußte wieder nachbohren.

»Äh, Wirtschaftsflaute?«

»Tja, nicht wahr, vor fünf Millionen Jahren brach die galaktische Wirtschaft zusammen, und weil wir uns sagten, Planeten-Sonderanfertigungen sind schließlich sowas wie Luxusgegenstände, nicht ...«

Er machte eine kleine Pause und sah Arthur an.

»Du weißt doch, daß wir Planeten gebaut haben, oder?« fragte er würdevoll.

»Äääh, ja«, sagte Arthur, »ich dachte halt irgendwie ...«

Der Mann unterdrückte ein leichtes Gähnen und fuhr fort: »Die Computer waren mit dem Index der galaktischen Börsenkurse gekoppelt, verstehst du, damit wir geweckt würden, wenn sich alle wirtschaftlich wieder soweit gerappelt hätten, daß sie sich unsere teuren Dienste würden leisten können.«

Arthur, der regelmäßig den *Guardian* las, war darüber zutiefst empört.

»Das ist aber eine verdammt miese Einstellung, finde ich.«

»Ach, wirklich?« fragte der Alte freundlich zurück. »Tut mir leid, ich bin da wohl nicht ganz auf dem laufenden.«

Er zeigte in den Krater runter.

»Gehört der Roboter dir?« fragte er.

»Nein«, tönte eine piepsige Stimme metallisch aus dem Krater, »ich gehöre mir.«

»Wenn man das überhaupt einen Roboter nennen kann«, murmelte Arthur. »Das ist eher sowas wie eine elektronische Schmollmaschine.«

»Hol ihn her«, sagte der alte Mann. Mit großem Erstaunen hörte Arthur die Stimme des alten Mannes plötzlich einen sehr bestimmten Ton annehmen. Er rief Marvin, der den Abhang hochgekrochen kam und mimte, er sei lahm, was er natürlich nicht war.

»Ach, wenn ich's mir recht überlege«, sagte der alte Mann, »laß ihn doch lieber hier. Aber du mußt unbedingt mitkommen. Große Dinge stehen bevor.« Er wandte sich seinem Fahrzeug zu, das nun, obwohl offenbar niemand ein Zeichen gegeben hatte, durch die Dunkelheit lautlos auf sie zugeschwebt kam.

Arthur sah zu Marvin hinunter, der jetzt wieder genauso eine große Schau abzog, als er sich schwerfällig umdrehte, mühsam wieder in den Krater zurückstampfte und irgendwas mürrisch vor sich hinbrabbelte.

»Komm«, rief der Alte, »komm, beeil dich, oder du kommst zu spät.«

»Zu spät?« sagte Arthur. »Zu was denn?«

»Wie heißt du, Menschling?«

»Dent. Arthur Dent«, sagte Arthur.

»Zu spät, wenn sich der tote Arthur dehnt«, sagte der alte Mann düster. »Das soll so 'ne Art Drohung sein, verstehst du?« Wieder trat ein wehmütiger Ausdruck in seine Augen. »Ich bin selber nie sehr gut in solchen Dingen gewesen, aber man hat mir gesagt, sie könnten manchmal sehr wirkungsvoll sein.«

Arthur sah ihn blinzelnd an.

»Was für eine ungewöhnliche Erscheinung«, murmelte er.

»Wie bitte?« fragte der alte Mann.

»Ach nichts, Entschuldigung«, sagte Arthur verlegen. »Okay, wo gehen wir jetzt hin?«

»Mit meinem Luftauto«, sagte der alte Mann und forderte Arthur mit einer Geste auf, in das Fahrzeug zu steigen, das lautlos neben ihn gelandet war, »fahren wir tief in das Innere des Planeten, wo sich in diesem Augenblick unser Volk von seinem fünf Millionen Jahre langen Schlummer erhebt. Magrathea erwacht!«

Arthur fröstelte es unwillkürlich, als er sich neben den Alten setzte. Das Merkwürdige der ganzen Geschichte und das lautlose Gehüpfe des Luftschiffs, das durch den Nachthimmel davonschwebte, brachten ihn völlig durcheinander.

Er betrachtete den alten Mann, dessen Gesicht durch das schwache Glühen der Lämpchen auf dem Armaturenbrett beleuchtet war.

»Verzeihung«, sagte Arthur, »wie war doch noch gleich Ihr Name?«

»Mein Name?« sagte der alte Mann, und der gleiche Ausdruck leichter Traurigkeit trat wieder in sein Gesicht. Er zögerte. »Mein Name«, sagte er, »ist Slartibartfaß.«

Arthur wäre beinahe erstickt.

»Wie bitte?« stotterte er.

»Slartibartfaß«, wiederholte der Alte sanft.

»*Slartibartfaß?*«

Der alte Mann sah ihn ernst an.

»Ich sagte doch, mein Name täte nichts zu Sache«, sagte er.

Das Luftauto schwebte durch die Nacht.

23

Es ist eine bedeutende und allgemein verbreitete Tatsache, daß die Dinge nicht immer das sind, was sie zu sein scheinen. Zum Beispiel waren die Menschen auf dem Planeten Erde immer der Meinung, sie seien intelligenter als die Delphine, weil sie so vieles zustandegebracht hatten – das Rad, New York, Kriege und so weiter, während die Delphine doch nichts weiter taten, als im Wasser herumzutoben und sich's wohlsein zu lassen. Aber umgekehrt waren auch die Delphine der Meinung, sie seien intelligenter als die Menschen, und zwar aus genau den gleichen Gründen.

Komischerweise wußten die Delphine schon lange vorher von der drohenden Zerstörung der Erde und hatten viele Versuche unternommen, die Menschheit auf die Gefahr aufmerksam zu machen, doch wurden die meisten ihrer Botschaften als amüsante Versuche mißdeutet, einen Fußball mit dem Kopf zu treffen oder nach irgendwelchen Leckereien zu pfeifen, so daß sie es schließlich aufgaben und die Erde, kurz bevor die Vogonen kamen, auf ihre ganz persönliche Art und Weise verließen.

Die allerletzte Botschaft der Delphine wurde als der erstaunlich kunstfertige Versuch mißverstanden, einen doppelten Salto rückwärts durch einen Reifen zu vollführen und dabei »Heil dir im Siegerkranz« zu flöten; in Wirklichkeit aber lautete die Botschaft: *Macht's gut und danke für den vielen Fisch.*

Tatsächlich war nur eine Gattung von Lebewesen auf dem Planeten intelligenter als die Delphine, und sie brachten ihre Zeit größtenteils in Verhaltensforschungslabors zu, wo sie in Laufrädern herumrannten und entsetzlich raffinierte und ausgeklügelte Experimente an den Menschen vornahmen. Die Tatsache, daß die Menschen auch hier wiederum die wahren Verhältnisse total verkannten, lag ganz in der Absicht dieser Wesen.

24

Lautlos schwebte das Luftauto durch die kalte Finsternis, ein einsamer matter Lichtschimmer, der in der tiefen magratheanischen Nacht vollkommen allein war. Es sauste rasch dahin. Arthurs Begleiter schien tief in seine eigenen Gedanken versunken zu sein, denn als Arthur verschiedentlich versuchte, ihn wieder in eine Unterhaltung zu ziehen, antwortete er ihm lediglich mit der Frage, ob er's auch bequem genug habe, und da beließ er es schließlich dabei.

Arthur versuchte, die Geschwindigkeit abzuschätzen, mit der sie sich bewegten, aber die Dunkelheit war undurchdringlich, und er konnte auch keinen Anhaltspunkt entdecken. Die Bewegung empfand er als so sacht und leicht, daß er fast der Meinung war, sie bewegten sich überhaupt kaum von der Stelle.

Dann tauchte in weiter Ferne ein winziger Lichtschimmer auf und nahm innerhalb weniger Sekunden dermaßen an Größe zu, daß Arthur begriff, daß er mit einer wahnsinnigen Geschwindigkeit auf sie zukam. Er versuchte festzustellen, um was für ein Fahrzeug es sich wohl handle, konnte aber keine bestimmte Form erkennen, aber mit einemmal blieb ihm vor Schreck bald der Atem weg, als das Luftauto plötzlich nach unten abkippte und ganz offensichtlich auf direkten Kollisionskurs ging. Die Geschwindigkeit des entgegenkommenden Fahrzeugs mußte unglaublich hoch sein, und Arthur hatte kaum Zeit, nach Luft zu schnappen, da war auch schon alles wieder vorbei.

Als nächstes nahm er ein irres silberiges Funkeln wahr, das ihn zu umgeben schien. Er drehte sich schnell nach hinten um und sah einen kleinen schwarzen Punkt in der Ferne hinter ihnen verschwinden. Er brauchte mehrere Sekunden, ehe er kapierte, was passiert war.

Sie waren in einen unterirdischen Tunnel eingetaucht. Die wahnsinnige Geschwindigkeit war ihre eigene im Verhältnis zu dem Lichtschimmer gewesen, der ein Loch im Boden war, der Ausgang des Tunnels. Das irre silberige Funkeln kam von den runden Wänden des Tunnels, durch den sie dahinschossen, offenbar mit mehreren hundert Stundenkilometern.

Arthur machte entsetzt die Augen zu.

Nach einer gewissen Zeit – er wagte nicht zu schätzen, wie lange das gedauert hatte – fühlte er, wie ihre Geschwindigkeit leicht abnahm, und einen Augenblick später bemerkte er, daß sie allmählich sanft zum Stehen kamen.

Er machte seine Augen wieder auf. Sie waren noch immer in dem silberigen Tunnel, aus dem sie sich durch ein Gewirr sich kreuzender und zusammenlaufender Röhren schlängelten und wanden, die Arthur an einen Kaninchenbau erinnerten. Als sie endlich anhielten, befanden sie sich in einem kleinen gewölbten Raum aus Stahl. Mehrere andere Tunnel endeten ebenfalls hier, und ganz am anderen Ende des Raumes sah Arthur einen großen, matten und äußerst verwirrenden Lichtkreis. Verwirrend deshalb, weil er den Augen einen Streich spielte: es war unmöglich, ihn richtig in den Blick zu fassen oder zu erkennen, ob er weit weg oder nahe war. Arthur nahm an (völlig zu Unrecht), das Licht sei ultraviolett.

Slartibartfaß drehte sich um und betrachtete Arthur mit seinen würdevollen alten Augen.

»Erdling«, sagte er, »wir sind jetzt tief im Herzen Magratheas.«

»Woher wußten Sie, daß ich ein Erdling bin?« fragte Arthur.

»Das alles wird dir noch klarwerden«, sagte der alte Mann sanft, »wenigstens«, fügte er mit leichtem Zweifel in der Stimme hinzu, »klarer als es dir im Augenblick ist.«

Er fuhr fort: »Ich sollte dich vielleicht darauf aufmerksam machen, daß der Raum, in den wir jetzt gleich gelangen, nicht eigentlich im Inneren unseres Planeten liegt. Dazu ist er ein bißchen zu ... groß. Wir werden gleich durch ein Tor in einen riesigen Teil des Hyperraums kommen. Das wird dich vielleicht erschrecken.«

Arthur grunzte nervös.

Slartibartfaß berührte einen Sensorknopf und setzte nicht gerade ermutigend hinzu: »Ich krieg nämlich selber jedesmal einen Riesenbammel. Halt dich fest!«

Ihr Luftauto schoß geradewegs in den Lichtkreis hinein, und plötzlich hatte Arthur eine ziemlich klare Vorstellung davon, wie die Unendlichkeit aussieht.

In Wirklichkeit war es gar nicht die Unendlichkeit. Die wirkliche Unendlichkeit sieht fade und uninteressant aus. Wenn man in den Nachthimmel hinaufsieht, blickt man in die Unendlichkeit – alle Entfernungen werden unfaßbar und daher bedeutungslos. Der Raum, in den das Luftauto hineinfuhr, war alles andere als unendlich, er war bloß sehr sehr sehr groß, so groß, daß er einen viel besseren Eindruck von der Unendlichkeit vermittelte als die Unendlichkeit selbst.

Arthur drehte sich's im Kopf, als sie mit der ungeheuren Geschwindigkeit, die, wie er wußte, das Luftauto erreichen konnte, scheinbar langsam durch die Luft nach oben stiegen und das Tor, durch das sie hereingekommen waren, als unsichtbares Pünktchen in der schimmernden Wand hinter sich ließen.

Die Wand.

Die Wand sprach allen Phantasievorstellungen hohn, brachte sie vom Wege ab und führte sie ad absurdum. Die Wand war so irrsinnig riesig und hoch, daß ihr oberes Ende, ihre Seiten und ihr Fuß den Blicken entschwanden. Allein das Schwindelgefühl, das sie erregte, konnte einen Menschen töten.

Sie wirkte vollkommen gerade, und es wären die allerempfindlichsten Laser-Meßgeräte nötig gewesen, um festzustellen, daß sich die Wand, während sie sich anscheinend bis zur Unendlichkeit erhob, in schwindelerregende Tiefen versank und sich zu beiden Seiten endlos weit erstreckte, außerdem auch krümmte. In einer Entfernung von dreizehn Lichtsekunden stieß sie wieder auf sich selbst. Mit anderen Worten: die Wand schloß eine Hohlkugel in sich ein, eine Kugel mit einem Durchmesser von über drei Millionen Meilen, deren Inneres in ein Licht getaucht war, das sich jeder Vorstellung entzog.

»Willkommen«, sagte Slartibartfaß, während das winzige Pünktchen, als das das Luftauto erschien, jetzt mit dreifacher Schallgeschwindigkeit unmerklich weiter in den wahnsinnig riesigen Raum hineinkroch, »willkommen«, sagte er, »in unserer Montagehalle.«

Arthur glotzte geradezu wonnevoll entsetzt um sich. In Entfernungen, die er weder schätzen noch auch nur raten konnte, waren eine Reihe seltsamer Hängevorrichtungen angeordnet, zarte Filigrane aus Metall und Licht, die über schattenhaften Kugelformen schwebten, die in dem Raum hingen.

»Hier«, sagte Slartibartfaß, »bauen wir die meisten unserer Planeten, nicht?«

»Heißt das«, sagte Arthur, der versuchte, Worte zu finden, »heißt das, ihr fangt jetzt mit alldem wieder an?«

»Neinnein, um Gottes willen, nein«, rief der Alte aus, »die Galaxis ist noch lange nicht wieder reich genug, um sich uns leisten zu können. Nein, wir sind nur geweckt worden, um einen ganz speziellen Auftrag für sehr . . . spezielle Kunden aus einer anderen Dimension auszuführen. Vielleicht interessiert er dich . . . da hinten direkt gegenüber von uns.«

Arthur folgte dem Finger des Alten, bis er ein schwebendes Gebilde erkennen konnte, auf das er zeigte. Es war auch das einzige von all den vielen Gebilden, das erkennen ließ, daß daran gearbeitet wurde, obwohl das mehr ein unterschwelliger Eindruck war und nichts, wofür man sich verbürgen konnte.

In dem Moment jedoch schoß ein Lichtstrahl durch das ganze Gefüge und ließ die Muster scharf hervortreten, die sich auf der dunklen Kugel in seinem Inneren befanden. Muster, die Arthur kannte: derbe, klecksige Formen, die ihm ebenso vertraut waren, wie die Gestalt der Wörter, die Teil der Ausstattung seines Verstandes waren. Ein paar Augenblicke schwieg er überwältigt, während ihm die Bilder im Kopf rumschwirrten und eine Stelle suchten, wo sie sich niederlassen und einen Sinn ergeben könnten. Ein Teil seines Hirns sagte ihm, er kenne sehr genau, was er da sehe und was die Formen darstellten, während ein anderer Teil sich ganz vernünftig weigerte, diesen Gedanken zuzulassen, und die Verantwortung dafür ablehnte, auch nur noch einen Schritt weiter in diese Richtung zu denken.

Wieder blitzte der Lichtstrahl auf, und diesmal gab es keinen Zweifel mehr.

»Die Erde . . .«, flüsterte Arthur.

»Naja, sagen wir mal Modell Nummer zwei«, sagte Slartibartfaß heiter. »Wir stellen eine Kopie nach unseren originalen Blaupausen her.«

Es entstand eine Pause.

»Wollen Sie damit sagen«, sagte Arthur langsam und bedacht, »daß ihr auch die erste Erde . . . *gebaut* habt?«

»Na klar«, sagte Slartibartfaß. »Bist du mal in einem Land gewesen . . . ich glaube, es hieß Norwegen?«

»Nein«, sagte Arthur, »nein, war ich nie.«

»Schade«, sagte Slartibartfaß, »es war eins von denen, die ich gemacht habe. Hab'n Preis dafür gekriegt, nicht? Herrlich krickelige Küste. Ich war furchtbar sauer, als ich hörte, daß es zerstört worden ist.«

»*Sie* waren sauer?!«

»Ja. Fünf Minuten später, und es hätte nicht mehr soviel ausgemacht. Das war eine Mords Pleite.«

»Hä?« sagte Arthur.

»Die Mäuse waren vielleicht wütend.«

»Die *Mäuse* waren wütend?«

»Und wie«, sagte der alte Mann sanft.

»Ja, na schön, ich nehme an, das waren die Hunde und die Katzen und die Schnabeltiere auch, aber . . .«

»Ja schon, aber die hatten nicht dafür bezahlt, nicht?«

»Hören Sie mal«, sagte Arthur, »würde es Ihnen was ausmachen, wenn ich jetzt einfach aufgebe und verrückt werde?«

Eine Weile flog das Luftauto in verlegenem Schweigen weiter. Schließlich versuchte der alte Mann geduldig, Arthur alles zu erklären.

»Erdling, der Planet, auf dem du lebtest, wurde geordert, bezahlt und regiert allein von den Mäusen Er wurde fünf Minuten vor der Erfüllung des Zwecks, für den er erbaut worden war, zerstört, und wir sind jetzt gerade dabei, einen neuen zu bauen.«

Nur ein Wort hatte sich bei Arthur festgehakt.

»*Mäuse?*«, sagte er.

»Ganz richtig, Erdling.«

»Also, Moment mal – reden wir auch beide von diesen kleinen weißen pelzigen Dingerchen mit dem Käsekomplex, bei denen die Frauen in den Fernsehklamotten in den frühen sechziger Jahren immer schreiend auf die Tische klettern?«

Slartibartfaß hüstelte höflich.

»Erdling«, sagte er, »es ist manchmal schwer, dem, was du sagst, zu folgen. Vergiß nicht, ich habe fünf Millionen Jahre im Innern dieses Planeten Magrathea geschlafen und weiß wenig von diesen Fernsehklamotten aus den frühen sechziger Jahren, von denen du redest. Diese Geschöpfe, die du Mäuse nennst, nicht wahr, sind nicht ganz das, was sie scheinen. Sie sind nur die Projektion unsagbar hyperintelligenter, pandimensionaler Wesen in unsere Dimension. Der ganze Quatsch mit dem Käse und dem Quieken ist bloß Tarnung.«

Der Alte machte eine Pause, dann fuhr er mit einem mitleidigen Stirnrunzeln fort: »Sie haben euch nur als Versuchskaninchen benutzt, fürchte ich.«

Arthur dachte einen Moment darüber nach, dann erhellte sich sein Gesicht.

»Neinnein«, sagte er, »ich weiß jetzt, wo das Mißverständnis liegt. Nein, also, passen Sie mal auf, in Wirklichkeit haben wir die Versuche mit *ihnen* angestellt. Sie wurden oft in der Verhaltensforschung verwendet, Pawlow und der ganze Kram. Und dabei wurden die Mäuse allen möglichen Tests unterworfen, in denen sie lernten, Klingeln zu betätigen, in Labyrinthen rumzulaufen und so weiter, so daß man ihren Lernprozeß untersuchen konnte. Aus der Beobachtung ihres Verhaltens konnten wir alles Mögliche über unser Verhalten lernen . . .«

Arthurs Stimme wurde immer leiser.

»Welch ein Raffinement . . .«, sagte Slartibartfaß, »man muß es einfach bewundern.«

»Was?« sagte Arthur.

»Wie hätten sie ihr wahres Wesen besser verbergen und euer Denken besser lenken können? Plötzlich im Labyrinth verkehrt rum laufen, das falsche Käsestückchen essen, unerwartet an Tollwut sterben – wenn das raffiniert berechnet wird, ist die zusätzliche Wirkung enorm.«

Er machte um der Wirkung willen eine Pause.

»Siehst du, Erdling, sie sind wirklich ganz besonders clevere hyperintelligente, pandimensionale Wesen. Euer Planet und seine Bewohner bildeten die Matrix eines organischen Computers, der ein Zehn-Millionen-Jahre-Forschungsprogramm durchführte . . . Ich werd dir die ganze Geschichte erzählen. Aber wir brauchen ein bißchen Zeit dazu.«

»Zeit«, sagte Arthur schwach, »gehört im Augenblick nicht zu meinen Problemen.«

Es gibt selbstverständlich viele Probleme, die mit dem Leben zusammenhängen; von denen sind einige der bekanntesten: *Warum wird der Mensch geboren?*, *Warum stirbt er?* und *Warum verbringt er so viel von der Zeit dazwischen mit dem Tragen von Digitaluhren?* Einer Rasse hyperintelligenter, pandimensionaler

151

Wesen (deren körperliches Äußeres in ihrem eigenen pandimensionalen Universum unserem nicht unähnlich ist) hing es vor vielen, vielen Millionen Jahren dermaßen zum Halse raus, sich ewig über den Sinn des Lebens rumzuzanken, was sie im übrigen bloß in ihrer Lieblingsbeschäftigung störte (dem Brockianischen Ultra-Kricket, einem höchst sonderbaren Spiel, bei dem man Leuten ohne ersichtlichen Grund plötzlich eins auf den Kopf gibt und wegrennt), daß sie beschlossen, sich auf ihre vier Buchstaben zu setzen und alle ihre Probleme ein für allemal zu lösen.

Und zu diesem Zweck bauten sie sich einen kolossalen Supercomputer, der so wahnsinnig intelligent war, daß er, noch ehe seine Datenspeicher überhaupt miteinander verbunden waren, mit *Ich denke, also bin ich* die ersten Kernsätze von sich gegeben hatte und schon dabei war, die Existenz des Schokoladenpuddings und der Einkommensteuer auseinander abzuleiten, bevor es jemandem gelang, ihn auszuschalten.

Er war so groß wie eine Kleinstadt.

Sein Hauptschaltpult war in einem eigens dafür entworfenen Direktionsbüro untergebracht und in einen enormen, mit kostbarem ultrarotem Leder bezogenen Direktionsschreibtisch aus dem erlesensten Ultramahagony eingebaut. Der dunkle Teppichboden war auf diskrete Weise luxuriös, exotische Topfpflanzen und geschmackvoll gestochene Bildnisse der bedeutendsten Computerprogrammierer und ihrer Familien waren großzügig im Raum verteilt, und mächtige Fenster blickten auf einen baumumstandenen öffentlichen Platz.

Am Tage des Großen Anknipsens kamen zwei dezent gekleidete Programmierer mit Aktentaschen und wurden ohne großes Aufhebens in das Büro geführt. Es war ihnen bewußt, daß sie an diesem Tage ihr ganzes Volk in seinem erhabensten Augenblick repräsentierten, aber sie gaben sich ruhig und gelassen, als sie ehrfurchtsvoll vor dem Schreibtisch Platz nahmen, ihre Aktentaschen öffneten und ihre in Leder gebundenen Notizbücher rausnahmen.

Ihre Namen lauteten Lunkwill und Fook.

Einen Augenblick saßen die beiden in ehrfürchtigem Schweigen da, dann lehnte sich Lunkwill, nachdem er mit Fook still einen Blick gewechselt hatte, nach vorn und berührte eine kleine schwarze Platte.

Das allerfeinste Summen, das man sich denken kann, zeigte an, daß der gewaltige Computer nun voll betriebsbereit war. Nach einer kurzen Pause sprach er sie mit seiner Stimme, die kräftig, volltönend und tief war, an.

Er sagte: »Wie heißt die große Aufgabe, für die ich, Deep Thought, der zweitgrößte Computer im Universum von Zeit und Raum, erschaffen worden bin?«

Lunkwill und Fook sahen sich verdutzt an.

»Deine Aufgabe, o Computer . . .«, begann Fook.

»Nein, warte mal'n Moment, das ist nicht richtig«, sagte Lunkwill beunruhigt. »Wir haben diesen Computer ausdrücklich als den größten Computer aller Zeiten konstruiert und geben uns nicht mit einem zweitbesten zufrieden. Deep Thought«, wandte er sich an den Computer, »bist du nicht, so wie wir dich konstruiert haben, der größte und mächtigste Computer aller Zeiten?«

»Ich nannte mich den Zweitgrößten«, ließ Deep Thought vernehmen, »und das bin ich auch.«

Wieder ging ein besorgter Blick zwischen den beiden Programmierern hin und her. Dann räusperte sich Lunkwill.

»Da muß ein Fehler vorliegen«, sagte er, »bist du als Computer denn nicht größer als Milliard Gargantuhirn auf Maximegalon, der in einer Millisekunde alle Atome eines Sterns zählen kann?«

»Milliard Gargantuhirn?« sagte Deep Thought mit aufrichtiger Verachtung. »Der reinste Rechenschieber – nicht der Rede wert.«

»Und bist du«, sagte Lunkwill und lehnte sich ängstlich vor, »denn kein gewaltigerer Analytiker als Gugelplex Sterndenker in der Siebenten Galaxis aus Licht und Geist, der die Flugbahn jedes Staubteilchens während eines fünfwöchigen Sandsturms auf Dangrabad Beta berechnen kann?«

»Ein fünfwöchiger Sandsturm?« fragte Deep Thought arrogant. »Das fragst du mich, der ich die Vektoren aller Atome beim Urknall selber durchgerechnet habe? Fall mir nicht mit diesem Taschenrechnerkram auf die Nerven.«

Die beiden Programmierer saßen einen Augenblick in unbehaglichem Schweigen da. Dann lehnte sich Lunkwill wieder vor.

»Aber bist du«, sagte er, »denn kein ausgebuffterer Streithahn als der Große Hyperlobische Allverwandte Neutronenzänker von Ciceronicus 12, der Magische und Unermüdliche?«

»Der Große Hyperlobische Allverwandte Neutronenzänker«, sagte Deep Thought und rollte eindrucksvoll die *Rs*, »kann vielleicht einem arkturanischen Mega-Esel alle vier Beine wegdiskutieren –, aber nur ich könnte ihn dann noch zu einem Spazierritt überreden.«

»Also wo«, fragte Fook, »liegt dann das Problem?«

»Es gibt kein Problem«, sagte Deep Thought mit herrlich klingendem Tonfall, »ich bin halt nur der zweitgrößte Computer im Universum aus Zeit und Raum.«

»Wieso denn der *zweit*größte?« bohrte Lunkwill nach. »Warum sagst du andauernd, du wärst der zweitgrößte? Du denkst doch wohl hoffentlich nicht an den Multicorticoiden Logikutronen Titan Müller? Oder den Denkermatic? Oder den . . .«

Über das Schaltpult des Computers blitzten verächtlich Lichter.

»Nicht eine einzige Denktronen-Einheit verschwende ich auf diese kybernetischen Simpel!« dröhnte er. »Ich spreche von keinem anderen, als von dem Computer, der nach mir kommt!«

Fook verlor die Geduld. Er schob sein Notizbuch beiseite und murmelte: »Na, das kriegt aber jetzt ganz unnötigerweise einen frommen touch.«

»Ihr wißt nichts von der Zeit, die kommen wird«, verkündete Deep Thought, »doch ich kann in meinen unzähligen Schaltkreisen die unendlichen Deltaströme künftiger Wahrscheinlichkeiten überblicken und sehen, daß eines Tages ein Computer kommen muß, dessen simpelste Funktionsparameter zu berechnen ich nicht würdig bin, aber den zu entwerfen letztlich meine Bestimmung ist.«

Fook seufzte schwer und sah zu Lunkwill rüber.

»Können wir nicht endlich weitermachen und unsere Frage stellen?«

Lunkwill gab ihm mit einem Zeichen zu verstehen, daß er noch warten solle.

»Was für ein Computer ist das, von dem du sprichst?« fragte er.

»Ich will im Augenblick nicht weiter von ihm reden«, sagte Deep Thought. »Fragt mich also, was ich euch sonst noch ausrechnen soll. Sprecht.«

Sie sahen sich beide achselzuckend an. Fook faßte sich als erster.

»Oh, Computer Deep Thought«, sagte er, »die Aufgabe, die wir uns für dich ausgedacht haben, ist die: Wir möchten, daß du uns . . .«, er machte eine Pause, » . . . die Antwort sagst!«

»Die Antwort?« fragte Deep Thought. »Die Antwort worauf?«

»Auf das Leben!« drängte Fook.

»Auf das Universum!« sagte Lunkwill.

»Auf alles!« sagten beide im Chor.

Deep Thought dachte eine Weile schweigend nach.

»Knifflig«, sagte er schließlich.

»Aber du schaffst es doch?«

Wieder eine bedeutungsvolle Pause.

»Ja«, sagte Deep Thought, »das schaffe ich.«

»Es gibt eine Antwort?« fragte Fook atemlos vor Aufregung.

»Eine einfache Antwort?« setzte Lunkwill nach.

»Ja«, sagte Deep Thought. »Auf das Leben, das Universum, auf alles. Da gibt es eine Antwort drauf. Aber«, fügte er hinzu, »ich muß darüber nachdenken.«

Ein plötzlicher Aufruhr zerstörte die Stimmung: die Tür flog auf, und zwei Männer, die die derben fahlblauen Roben und Gürtel der Universität Cruxwan trugen, stürmten wütend in das Zimmer und stießen die entnervten Lakaien beiseite, die ihnen den Weg zu versperren versuchten.

»Wir fordern Zutritt!« schrie der Jüngere der beiden und traf eine hübsche junge Sekretärin mit dem Ellbogen am Hals.

»Also bitte«, schrie der Ältere, »ihr könnt uns doch nicht aussperren!« Er schubste einen Programmiergehilfen durch die Tür zurück ins Zimmer.

»Wir fordern, daß ihr uns nicht aussperrt!« schnauzte der Jüngere, obwohl er mittlerweile längst im Zimmer stand und niemand mehr versuchte, ihn aufzuhalten.

»Wer seid ihr eigentlich?« fragte Lunkwill, der wütend von seinem Stuhl aufsprang. »Und was wollt ihr?«

»Ich bin Magikweis!« verkündete der Ältere.

»Und ich fordere, daß ich Vrumfondel bin!« schrie der Jüngere.

Magikweis drehte sich zu Vrumfondel um. »Das ist doch klar«, erklärte er ihm erregt, »das brauchst du doch nicht extra zu fordern.«

»Okay!« bellte Vrumfondel und hämmerte auf einen in der Nähe stehenden Schreibtisch. »Ich bin Vrumfondel, und das ist *keine* Forderung, das ist eine feststehende *Tatsache!* Was wir fordern, sind feststehende *Tatsachen!*«

Nein, das stimmt doch gar nicht!« schrie Magikweis ärgerlich. »Genau das fordern wir ja *nicht!*«

Vrumfondel nahm sich kaum Zeit, Atem zu holen und schrie: »Wir fordern *keine* feststehenden Tatsachen! Was wir fordern, ist das totale *Fehlen* feststehender Tatsachen. Ich fordere also, daß ich Vrumfondel bin oder auch nicht!«

»Aber wer zum Teufel seid ihr eigentlich?« schrie Fook wütend.

»Wir«, sagte Magikweis, »sind Philosophen.«

»Oder vielleicht auch nicht«, sagte Vrumfondel und drohte den Programmierern mit dem Finger.

»Doch, das *sind* wir«, bestand Magikweis. »Wir stehen hier ausdrücklich als die Vertreter der Vereinigten Gewerkschaften der Philosophen, Weisen, Erleuchteten und anderer Berufsdenker, und fordern, daß diese Maschine abgeschaltet wird. Und zwar *jetzt*!«

»Wo liegt denn das Problem?« fragte Lunkwill.

»Ich werd dir verklickern, wo das Problem liegt, Genosse«, sagte Magikweis. »Abgrenzung, das ist das Problem!«

»Wir fordern«, kreischte Vrumfondel, »daß Abgrenzung das Problem ist oder vielleicht auch nicht!«

»Ihr laßt die Maschinen einfach weiter die Rechenaufgaben erledigen«, riet Magikweis, »und wir kümmern uns um die ewigen Wahrheiten, wenn's gefällig ist. Ihr wollt wohl eure Rechtsposition verbessern, stimmt's, Genosse? Aber nach dem Gesetz ist die Suche nach der Letzten Wahrheit ganz eindeutig das unveräußerliche Recht eurer Berufsdenker. Kommt da so 'ne verdammte Maschine daher und *findet* sie am Ende gar noch, da sind wir doch auf der Stelle den Job los, nich? Ich meine, was haben wir dann davon, daß wir uns halbe Nächte mit der Frage um die Ohren schlagen, ob's nun einen Gott gibt oder nicht, wenn diese Maschine euch am nächsten Morgen einfach seine verdammte Telefonnummer ausspuckt?«

»Das ist richtig«, schrie Vrumfondel, »wir fordern, daß uns streng abgegrenzte Zweifels- und Unsicherheitsgebiete garantiert werden!«

Mit einemmal dröhnte eine mächtige Stimme durch das Zimmer. »Dürfte *ich* vielleicht an dieser Stelle eine Bemerkung einflechten?« fragte Deep Thought.

»Wir werden streiken«, schrie Vrumfondel.

»Genau!« stimmte ihm Magikweis zu. »Dann habt ihr einen landesweiten Philosophenstreik am Hals!«

Der Summton in dem Zimmer wurde plötzlich lauter, als mehrere zusätzliche Baßverstärker, die in die im ganzen Zimmer verteilten dezent gestalteten und polierten Schranklautsprecher eingebaut waren, sich einschalteten, um Deep Thoughts Stimme ein bißchen mehr Kraft zu verleihen.

»Ich wollte lediglich sagen«, raunzte der Computer, »daß meine Schaltkreise jetzt unwiderruflich mit der Formulierung der Antwort auf die Letzte der Fragen nach dem Leben, dem Universum und allem beschäftigt sind –«, er machte eine Pause und vergewisserte sich, daß ihm jetzt alle zuhörten, bevor er ruhig fortfuhr, »aber es wird ein bißchen dauern, ehe ich mit dem Programm durch bin.«

Fook guckte ungeduldig auf seine Uhr.

»Wie lange etwa?« fragte er.

»Siebeneinhalb Millionen Jahre«, sagte Deep Thought.

Lunkwill und Fook vermieden es, sich anzusehen.

»Siebeneinhalb Millionen Jahre . . .!« schrien sie im Chor.

»Ja«, tönte Deep Thought, »ich sagte doch, ich muß darüber nachdenken, oder? Aber mir scheint, daß ein Programm wie dieses zwangsläufig ein enormes öffentliches Interesse an der ganzen Philosophie hervorrufen muß. Jedermann wird seine eigene Theorie darüber anstellen, mit welcher Antwort ich schließlich anrücken werde, und wer könnte aus diesem Rummel wohl besser Kapital schlagen als ihr selbst? Solange ihr euch nur heftig genug gegenseitig in den Haaren liegt und in der Presse runtermacht, und solange ihr Nachbeter habt, die ein bißchen clever sind, habt ihr doch für eure Zukunft ausgesorgt. Na, wie hört sich das an?«

Die beiden Philosophen starrten ihn an.

»Verdammt nochmal«, sagte Magikweis, »das nenn ich wirklich Denken. Sag mal, Vrumfondel, warum kommen wir eigentlich nie auf sowas?«

»Weißichnich«, sagte Vrumfondel in ehrfürchtigem Flüsterton, »vielleicht sind unsere Hirne zu hochtrainiert, Magikweis.«

Mit diesen Worten machten sie auf dem Absatz kehrt, spazierten zur Tür hinaus und geradewegs in einen Lebensstil hinein, der ihre kühnsten Träume überstieg.

26

»Ja, sehr aufschlußreich«, sagte Arthur, nachdem ihm Slartibartfaß die wichtigsten Einzelheiten dieser Geschichte erzählt hatte, »aber ich verstehe immer noch nicht, was das alles mit der Erde und den Mäusen und so weiter zu tun hat.«

»Das ist ja nur die erste Hälfte der Geschichte, Erdling«, sagte der alte Mann. »Wenn du erfahren willst, was siebeneinhalb Millionen Jahre später, am Großen Tag der Antwort, passierte, erlaube mir, daß ich dich in mein Atelier einlade, dort kannst du dir die Ereignisse auf unserem Sens-O-Tape-Recorder selber anhören. Es sei denn, du möchtest rasch noch einen kleinen Bummel auf der neuen Erde machen. Tut mir leid, aber sie ist erst halb fertig – wir haben's noch nicht mal ganz geschafft, die künstlichen Dinosaurierskelette in die Erdkruste einzugraben, und dann müssen wir noch das Tertiär und Quartär der känozoischen Periode aufschütten und . . .«

»Nein, vielen Dank«, sagte Arthur, »es wäre ja doch nicht dasselbe.«

»Nein«, sagte Slartibartfaß, »das wäre es nicht«, wendete das Luftauto und steuerte wieder auf die schwindelerregende Wand zu.

27

In Slartibartfaß' Atelier sah es aus wie Kraut und Rüben, so als wäre eine öffentliche Bibliothek in die Luft geflogen. Der alte Mann warf einen finsteren Blick auf das Tohuwabohu, als sie in das Zimmer traten.

»Zu unserem großen Pech«, sagte er, »ist in einem der Lebens-konservierungscomputer eine Diode durchgebrannt. Als wir ver-suchten, unsere Putzkolonne wieder aufzuwecken, stellten wir fest, daß sie schon fast dreißigtausend Jahre tot war. Ich möchte bloß wissen, wer jetzt die Leichen wegräumen soll. Kuck mal, warum setzt du dich nicht einfach da drüben hin, und ich stöpsele dich ein?«

Er dirigierte Arthur zu einem Stuhl hinüber, der aussah, als wä-re er aus dem Brustkorb eines Stegosauriers gemacht.

»Der ist aus dem Brustkorb eines Stegosauriers«, erklärte ihm der Alte, während er herumkramte und unter schwankenden Pa-pierstapeln und Bergen von Zeichengerät ein paar Stückchen Draht hervorfischte. »Hier«, sagte er, »halte mal«, und reichte Ar-thur zwei blanke Kabelenden.

In dem Augenblick, als Arthur sie ergriff, flog ein Vogel mitten durch ihn hindurch.

Er schwebte in der Luft und war sich selber total unsichtbar. Unter ihm lag ein hübscher baumumstandener öffentlicher Platz, um den herum, soweit das Auge reichte, großzügig und weiträu-mig angelegt weiße Betonbauten standen, die jedoch ziemlich mitgenommen aussahen – viele hatten Risse und Wasserflecken. Heute aber schien die Sonne, eine frische Brise wirbelte behende durch die Bäume, und der merkwürdige Eindruck, daß alle Gebäu-de still vor sich hinsummten, wurde wahrscheinlich dadurch her-vorgerufen, daß der Platz und alle Straßen um ihn herum mit freudig erregten Leuten überschwemmt war. Irgendwo spielte ei-ne Kapelle, bunte Fahnen flatterten im Wind, und es lag sowas wie Karnevalsstimmung in der Luft.

Arthur kam sich, so hoch über allem und nur noch aus seinem Namen bestehend, furchtbar einsam vor, aber bevor er Zeit hatte, darüber nachzudenken, ertönte eine Stimme über den Platz und bat alle um ihre Aufmerksamkeit.

Ein Mann stand vor dem Gebäude, das den Platz deutlich be-herrschte, auf einem bunt geschmückten Podium und sprach über eine Lautsprecheranlage zu der Menge.

»Liebe Freunde, die ihr hier im Schatten von Deep Thought wartet!« rief er. »Ruhmreiche Nachfahren von Vrumfondel und Magikweis, den größten und wahrlich bedeutendsten Gurus, die das Universum je hervorgebracht hat . . . Die Zeit des Wartens ist vorüber!«

Stürmische Hochrufe brachen aus der Menge hervor. Fahnen, Papierschlangen und begeisterte Pfiffe segelten durch die Luft. Die engen Straßen sahen fast wie auf den Rücken gedrehte Tausendfüßler aus, die wie verrückt mit den Beinen in der Luft rumstrampelten.

»Siebeneinhalb Millionen Jahre hat unser Geschlecht auf diesen großen und hoffnungsvollen Augenblick der Enthüllung der Wahrheit gewartet!« rief der Oberjubler. »Den Tag der Antwort!«

Die hingerissene Menge brach in Hurras aus.

»Nie wieder«, schrie der Mann, »nie wieder werden wir morgens aufwachen und uns fragen ›Wer bin ich?‹, ›Was ist der Sinn meines Lebens?‹, ›Macht es, kosmisch betrachtet, *wirklich* was aus, wenn ich nicht aufstehe und arbeiten gehe?‹ Denn heute werden wir endlich und ein für allemal die schlichte und einfache Antwort auf alle diese bohrenden kleinen Fragen des Lebens, des Universums und alles anderen erhalten!«

Während die Volksmenge nochmal in Jubel ausbrach, fühlte Arthur, wie er plötzlich im Gleitflug nach unten und auf eins der mächtigen Fenster im ersten Stock des Gebäudes, gleich hinter dem Podium zuflog, auf dem der Redner stand und zu der Menge sprach.

Einen Augenblick geriet er in leichte Panik, als er geradewegs auf das Fenster lossauste, aber das ging sofort vorbei, als er wenig später feststellte, daß er einfach so durch das Glas gesegelt war, ohne es auch nur zu berühren.

Niemand in dem Raum machte eine Bemerkung über seine etwas extravagante Ankunft, aber das überrascht nicht weiter, denn er war ja gar nicht da. Allmählich wurde ihm klar, daß die ganze Chose bloß eine Filmprojektion war, die Siebzig-Millimeter-Sechs-Kanal-Cinerama wie schlappes Super 8 wirken ließ.

Das Zimmer sah genau so aus, wie Slartibartfaß es beschrieben hatte. In den siebeneinhalb Millionen Jahren hatte man gut darauf aufgepaßt und es regelmäßig ungefähr einmal alle hundert Jahre saubergemacht. Der Ultramahagony-Schreibtisch war an den Kanten etwas abgeschabt, der Teppich inzwischen etwas ausgeblichen, aber das gewaltige Computerterminal saß noch in derselben Pracht und Herrlichkeit auf der lederbezogenen Schreibtischplatte, als wäre es gestern gebaut worden.

Zwei schlicht gekleidete Männer saßen ehrfurchtsvoll vor dem Terminal und warteten.

»Die Zeit ist gleich um«, sagte der eine, und Arthur sah überrascht, daß sich plötzlich genau am Hals des Mannes aus dem Nichts ein Wort materialisierte. Das Wort lautete LUUNQUOAL, es blinkte ein paarmal und verschwand wieder. Ehe Arthur begriff, um was es sich da handelte, redete der andere Mann, und das Wort PHOUCHG erschien an seinem Hals.

»Vor fünfundsiebzigtausend Generationen brachten unsere Ahnen dieses Programm ins Rollen«, sagte der zweite, »und nach dieser langen Zeit werden wir die ersten sein, die den Computer wieder sprechen hören.«

»Eine ehrfurchtgebietende Aussicht, Phouchg«, stimmte der erste zu, und Arthur wurde mit einemmal klar, daß er eine Vorstellung mit Untertiteln sah.

»Wir sind diejenigen«, sagte Phouchg, »denen er die Antwort geben wird auf die große Frage nach dem Leben . . .!«

» . . . dem Universum . . .«, sagte Luunquoal.

» . . . und allem . . .!«

»Schsch!« sagte Luunquoal mit einer leichten Handbewegung, »ich glaube, Deep Thought wird gleich sprechen.«

Es folgte eine kurze, erwartungsvolle Stille, als an der Vorderseite des Schaltpults Armaturen langsam aufzuglühen begannen. Lämpchen gingen probeweise an und aus und bildeten schließlich ein nüchtern-geschäftsmäßiges Muster. Ein sanftes tiefes Summen war aus dem Mitteilungsfrequenzband zu vernehmen.

»Guten Morgen«, sagte Deep Thought endlich.

»Äh . . . Guten Morgen, oh Deep Thought«, sagte Luunquoal ängstlich, »hast du . . . äh, das heißt . . .«

»Eine Antwort für euch?« unterbrach ihn Deep Thought würdevoll. »Ja. Die habe ich.«

Die beiden Männer zitterten vor froher Erwartung. Ihr Warten war nicht vergeblich gewesen.

»Es gibt tatsächlich eine?« hauchte Phouchg.

»Es gibt tatsächlich eine«, bestätigte Deep Thought.

»Auf alles? Auf die große Frage nach dem Leben, dem Universum und allem?«

»Ja.«

Beide Männer waren auf diesen Augenblick gedrillt worden, ihr Leben war eine einzige Vorbereitung auf diesen Moment gewesen, man hatte sie bereits bei ihrer Geburt als diejenigen ausgewählt, die der Antwort beiwohnen würden, aber selbst sie wurden gewahr, daß sie jetzt nach Luft schnappten und rumhampelten wie aufgeregte Kinder.

»Und du bist bereit, sie uns zu geben?« drängte Luunquoal.

»Das bin ich.«

»Jetzt?«

»Jetzt«, sagte Deep Thought.

Beide Männer leckten sich ihre trockenen Lippen.

»Allerdings glaube ich nicht«, setzte Deep Thought hinzu, »daß sie euch gefallen wird.«

»Das macht doch nichts!« sagte Phouchg. »Wir müssen sie nur jetzt erfahren. Jetzt!«

»Jetzt?« fragte Deep Thought.

»Ja! Jetzt . . .«

»Also schön«, sagte der Computer und versank wieder in Schweigen. Die beiden Männer zappelten nervös hin und her. Die Spannung war unerträglich.

»Sie wird euch bestimmt nicht gefallen«, bemerkte Deep Thought.

»Sag sie uns trotzdem!«

»Na schön«, sagte Deep Thought. »Die Antwort auf die Große Frage . . .«

»Ja . . .!«

» . . . nach dem Leben, dem Universum und allem . . .«, sagte Deep Thought.

»Ja . . .!«

» . . . lautet . . .«, sagte Deep Thought und machte eine Pause.

»Ja . . .!«

» . . . lautet . . .«

»Ja . . .!!! . . .???«

»Zweiundvierzig«, sagte Deep Thought mit unsagbarer Erhabenheit und Ruhe.

28

Es dauerte lange, lange, ehe wieder jemand sprach.

Aus den Augenwinkeln sah Phouchg unten auf dem Platz das Meer gespannter und hoffnungsvoller Gesichter.

»Jetzt werden sie uns wohl lynchen, was meinst du?« flüsterte er.

»Es war eine sauschwere Aufgabe«, sagte Deep Thought mit sanfter Stimme.

»Zweiundvierzig!« kreischte Luunquoal los. »Ist das alles, nach siebeneinhalb Millionen Jahren Denkarbeit?«

»Ich hab's sehr gründlich nachgeprüft«, sagte der Computer, »und das ist ganz bestimmt die Antwort. Das Problem ist, glaub ich, wenn ich mal ganz ehrlich zu euch sein darf, daß ihr selber wohl nie richtig gewußt habt, wie die *Frage* lautet.«

»Aber es handelte sich doch um die Große Frage! Die Letzte

aller Fragen nach dem Leben, dem Universum und allem«, jammerte Luunquoal.

»Ja«, sagte Deep Thought in einem Ton, als ertrüge er es mit Freuden, mit solchen Idioten zu reden, »aber wie *lautet* sie denn nun?«

Ein dumpfes, verblüfftes Schweigen kroch über die Männer weg, als sie erst den Computer anstarrten und dann sich.

»Naja, weißt du, es geht einfach um alles . . . um alles«, schlug Phouchg schüchtern vor.

»Genau!« sagte Deep Thought. »Wenn ihr erstmal genau wißt, wie die Frage wirklich lautet, dann werdet ihr auch wissen, was die Antwort bedeutet.«

»Oh Gott, grauenhaft«, murmelte Phouchg, pfefferte sein Notizbuch in die Gegend und wischte sich eine winzige Träne aus dem Auge.

»Also schön, okay, okay«, sagte Luunquoal, »kannst du uns dann bitte wenigstens die Frage *sagen?*«

»Die Letzte aller Fragen?«

»Ja!«

»Nach dem Leben, dem Universum und allem?«

»Ja!«

Deep Thought dachte einen Moment nach.

»Knifflig«, sagte er.

»Aber du kannst sie uns doch sagen?« schrie Luunquoal.

Deep Thought dachte wiederum lange darüber nach.

Schließlich sagte er mit fester Stimme: »Nein.«

Die beiden Männer sanken verzweifelt auf ihre Stühle.

»Aber ich werde euch sagen, wer das kann«, sagte Deep Thought.

Wie auf ein Kommando sahen beide nach oben.

»Wer?«

»Sag es uns!«

Arthur fühlte plötzlich, wie er sich langsam, aber unaufhaltsam auf das Schaltpult zubewegte, und seine offenbar nicht existente

Kopfhaut begann zu kribbeln. Aber es handelte sich lediglich um einen dramatischen Zoom des unbekannten Filmkünstlers, der die Aufnahmen gemacht hatte, stellte Arthur fest.

»Ich spreche von keinem anderen, als von dem Computer, der nach mir kommt«, verkündete Deep Thought, und seine Stimme nahm wieder ihren gewohnten Predigtton an. »Ein Computer, dessen simpelste Funktionsparameter zu berechnen ich nicht würdig bin – und doch werde ich ihn euch entwerfen. Ein Computer, der die Frage nach der Letzten aller Antworten berechnen kann, ein Computer von so unendlicher und unerhörter Kompliziertheit, daß das organische Leben selbst einen Teil seiner Arbeitsmatrix bildet. Und ihr selbst werdet neue Gestalt annehmen und in den Computer steigen und sein Zehn-Millionen-Jahre-Programm steuern! Ja! Ich werde euch diesen Computer entwerfen. Und ich werde ihn euch auch benennen. Und er soll heißen . . . Die Erde.«

Phouchg glotzte Deep Thought an.

»Ein saublöder Name«, sagte er, und tiefe Schnitte erschienen an seinem ganzen Körper. Auch Luunquoal empfing plötzlich aus dem Nichts grauenhafte Schnittwunden. Das Computerterminal wurde fleckig und rissig, die Wände bebten und krachten zusammen, und das ganze Zimmer stürzte in seine eigene Decke . . .

Slartibartfaß stand vor Arthur und hielt zwei Drähte in der Hand.

»Das Band ist zu Ende«, erklärte er.

»Zaphod! Aufwachen!«

»Mmmmmmwwwwwerrrrrr?«

»Na, komm schon, wach auf!«

»Laß mich um Gotteswillen bloß noch an Sachen ran, von denen ich was verstehe, ja?« murmelte Zaphod und drehte sich von der Stimme weg zum Weiterschlafen um.

»Willst du, daß ich dir 'n Tritt gebe?« fragte Ford.

»Wäre dir das eine große Freude?« fragte Zaphod schlaftrunken.

»Nein.«

»Mir auch nicht. Also was soll's dann? Hör auf, mich zu quälen.« Zaphod rollte sich wieder zu einer Kugel zusammen.

»Er hat die doppelte Dosis von dem Gas abgekriegt«, sagte Trillian und sah zu ihm runter, »zwei Luftröhren.«

»Und hört auf zu reden«, sagte Zaphod, »es ist sowieso schon schwer, ein bißchen Schlaf zu finden. Was ist denn eigentlich mit dem Boden los? Er fühlt sich so kalt und hart an.«

»Er ist aus Gold«, sagte Ford.

Mit einem erstaunlich ballettmäßigen Hüpfer war Zaphod auf den Beinen und inspizierte den Horizont, denn so weit erstreckte sich der goldene Boden in jeder Richtung, vollkommen eben und massiv. Er leuchtete wie . . . man kann unmöglich in Worte fassen, wie er leuchtete, weil nichts im ganzen Universum so leuchtet wie ein Planet, der durch und durch aus Gold ist.

»Wer hat denn das alles hier hingeschafft?« schrie Zaphod auf und bekam Stielaugen.

»Reg dich bloß nicht auf«, sagte Ford, »das ist nur ein Katalog.«

»Ein was?«

»Ein Katalog«, sagte Trillian, »eine Fata Morgana.«

»Wie könnt ihr bloß sowas behaupten?« tobte Zaphod, ließ sich auf Hände und Knie fallen und starrte den Boden an. Er piekste mit dem Finger hinein und schlug mit der Faust drauf. Er war sehr schwer und ein kleines bißchen weich – er konnte ihn mit seinen Fingernägeln ritzen. Er war sehr gelb und sehr blank, und als er ihn behauchte, schlug sich sein Atem in dieser ganz besonderen und außergewöhnlichen Art und Weise darauf nieder, wie er sich nur auf massivem Gold niederschlägt.

»Trillian und ich, wir sind schon vor einer ganzen Weile wieder zu uns gekommen«, sagte Ford. »Wir schrien und riefen, bis jemand kam, und dann schrien und riefen wir immer weiter, bis sie die Nase voll hatten und uns in ihren Planetenkatalog steckten, damit wir was zu tun hätten, bis sie sich mit uns befassen könnten. Das alles hier ist bloß ein Sens-O-Tape.«

Zaphod starrte ihn enttäuscht an.

»Ach, Mist«, sagte er, »du weckst mich aus meinem wundervollen Traum, bloß um mir den von jemand anderem zu zeigen.« Er setzte sich gekränkt hin.

»Was sind denn das für Täler da drüben?« fragte er.

»Ein Prägestempel«, sagte Ford, »wir haben ihn uns schon angesehen.«

»Wir wollten dich nicht eher wecken«, sagte Trillian. »Auf dem Planeten davor gingen einem die Fische bis zum Knie.«

»Fische?«

»Manchen Leuten gefallen halt die verrücktesten Dinge.«

»Und davor der«, sagte Ford, »war ganz aus Platin. Bißchen langweilig. Aber wir dachten uns, den hier wolltest du vielleicht sehen.«

Lichtfluten strahlten ihnen in gleißender Helle entgegen, wohin sie auch sahen.

»Sehr hübsch«, sagte Zaphod gereizt.

Am Himmel tauchte eine riesige grüne Katalognummer auf. Sie blinkte und veränderte sich, und als sie sich wieder umsahen, hatte es auch das Land getan.

Wie aus einem Munde entrang sich ihnen ein »Huch!«

Das Meer war lila. Der Strand, auf dem sie lagen, bestand aus winzigen gelben und grünen Kieseln – wahrscheinlich wahnsinnig kostbaren Kieseln. Die Berge in der Ferne schienen elastisch zu sein, und ihre roten Gipfel wogten sacht. Ganz in der Nähe stand ein Strandtischchen aus massivem Silber, daneben ein gekrauster, malvenfarbener Sonnenschirm mit silbernen Troddeln.

Anstelle der Katalognummer erschien ein riesiges Schild am Himmel. Darauf stand: *Ganz gleich, welchen Geschmack Sie ha-*

ben – *Magrathea liefert es Ihnen. Wir kennen keinen Stolz.*

Und fünfhundert splitterfasernackte Frauen kamen an Fallschirmen vom Himmel herabgeschwebt.

Im selben Augenblick verschwand alles wieder, und sie saßen plötzlich mitten auf einer Frühlingswiese voller Kühe.

»Au!« sagte Zaphod. »Meine Gehirne!«

»Möchtest du darüber reden?« fragte Ford.

»Ja klar, okay«, sagte Zaphod, und alle drei setzten sich hin und beachteten um sich herum die Szenen nicht mehr, die kamen und gingen.

»Ich vermute folgendes«, sagte Zaphod. »Ganz gleich, was mit meinem Verstand passiert ist, ich hab's selber getan. Und ich habe es so getan, daß es von den Eignungstests der Regierung nicht herausgefunden werden konnte. Und ich selbst durfte auch nichts davon wissen. Ziemlich verrückt, was?«

Die beiden anderen nickten zustimmend.

»Jetzt überlege ich natürlich, was ist so geheim daran, daß ich niemandem erzählen darf, daß ich's weiß – der Galaktischen Regierung nicht, ja nicht mal mir selber? Und die Antwort lautet: ich weiß es nicht. Natürlich nicht. Aber ich kombiniere ein bißchen rum und komme auf ein paar Vermutungen. Wann beschloß ich, mich um die Präsidentschaft zu bewerben? Kurz nach dem Tod von Präsident Yooden Vranx. Erinnerst du dich noch an Yooden, Ford?«

»Na klar«, sagte Ford, »dem Typen sind wir mal begegnet, da waren wir noch Kinder. Der arkturanische Kapitän. Der war 'ne Wucht. Er schenkte uns Kastanien, als du seinen Megafrachter geentert hast. Er sagte, du wärst der verrückteste Junge, dem er je begegnet wäre.«

»Worum geht's denn bitte?« fragte Trillian.

»Uralte Geschichten«, sagte Ford, »als wir noch Kinder auf Beteigeuze waren. Die arkturanischen Megafrachter transportierten die meisten Massengüter vom Zentrum der Galaxis in die Randgebiete. Die beteigeuzischen Handelsaufklärer spürten die Märkte auf, und die Arkturaner belieferten sie. Es gab jede Menge Ärger mit Raumpiraten, bevor sie in den Dordellischen Kriegen vernichtet wurden, und die Megafrachter mußten mit den phantastischsten Verteidigungswaffen ausgerüstet werden, die die galaktische Wissenschaft kannte. Diese Raumschiffe waren richtige Ungeheuer – und riesig. Wenn sie einen Planeten umkreisten, verdunkelten sie die Sonne.

Eines Tages beschließt der kleine Zaphod, eins zu überfallen. Auf einem Tri-Jet-Roller, auf dem man bloß in der Stratosphäre ein bißchen rumrollern konnte, reiner Kinderkram. Ich meine, vergiß es. es war verrückter als 'ne verrückte Herde Affen. Ich machte die Sause mit, weil ich 'ne sichere Wette darüber abgeschlossen hatte, daß er's nicht schafft, und nicht wollte, daß er mit irgendwelchen falschen Beweisen wiederkommt. Also gut, was passiert? Wir steigen in diesen Tri-Jet, den er zu was völlig anderem aufgepeppt hatte, legten drei Parsek innerhalb weniger Wochen zurück, enterten einen Megafrachter, ich weiß heute noch nicht, wie, marschierten auf die Brücke, fuchtelten mit Spielzeugpistolen rum und verlangten Kastanien. Eine verrücktere Sache habe ich meinen Lebtag nicht erlebt. Hab das Taschengeld eines ganzen Jahres dabei verloren. Für was? Kastanien.«

»Der Käptn, Yooden Vranx, war so ein richtig toller Kerl«, sagte Zaphod. »Er gab uns zu essen, zu saufen – Zeugs aus wirklich seltsamen Gegenden der Galaxis –, natürlich auch Massen von Kastanien, und wir verlebten einfach eine unglaublich schöne Zeit. Dann teleportierte er uns zurück. In den Hochsicherheitstrakt des beteigeuzischen Staatsgefängnisses. Er war ein cooler Typ. Schließlich wurde er Präsident der Galaxis.«

Zaphod unterbrach sich.

Die Szene um sie herum war im Augenblick in Düsternis getaucht. Dunkle Nebelschleier umkreisten sie, und riesenhafte Gestalten lauerten undeutlich in den Schatten. Hin und wieder gellten die Schreie irgendwelcher imaginärer Wesen durch die Luft, die andere imaginäre Wesen umbrachten. Offenbar hatten genügend Leute solche Sachen gemocht, daß es sich lohnte, ein Geschäft daraus zu machen.

»Ford«, sagte Zaphod leise.

»Ja?«

»Kurz vor seinem Tod kam Yooden mich besuchen.«

»Was? Das hast du mir nie erzählt.«

»Nein.«

»Und was sagte er? Was wollte er von dir?«

»Er erzählte mir von der ›Herz aus Gold‹. Es war seine Idee, daß ich sie stehlen sollte.«

»Seine Idee?«

»Ja«, sagte Zaphod, »und die einzige Möglichkeit, das zu tun, war, am feierlichen Stapellauf teilzunehmen.«

Ford starrte ihn einen Augenblick verblüfft an, dann brach er in schallendes Gelächter aus.

»Willst du damit etwa sagen«, lachte er, »daß du nur deshalb Präsident der Galaxis werden wolltest, um dieses Raumschiff zu klauen?«

»So ist es«, sagte Zaphod mit einem Grinsen, für das man die meisten Leute in die Gummizelle stecken würde.

»Aber wieso denn?« fragte Ford. »Warum ist es denn so wichtig, es zu besitzen?«

»Keine Ahnung«, sagte Zaphod. »Ich glaube, wenn ich wirklich gewußt hätte, was so wichtig an ihm ist und wozu ich es gebrauchen würde, dann wäre das bei den Gehirn-Eignungstest rausgekommen, und ich hätte nie bestanden. Ich glaube, Yooden hat mir 'ne Menge Dinge erzählt, die mir noch immer verborgen sind.«

»Du meinst also, weil Yooden mit dir geredet hat, fängst du jetzt an, in deinen Gehirnen rumzustöbern?«

»Er war ein irrsinnig guter Redner.«

»Ja, okay, aber Zaphod, alter Junge, du mußt ein bißchen auf dich aufpassen, verstehst du?«

Zaphod zuckte die Achseln.

»Ich meine, schwant dir nicht irgendwas, wo der Grund für all das liegen könnte?« fragte Ford.

Zaphod dachte angestrengt darüber nach, und es schienen ihm Zweifel zu kommen.

»Nein«, sagte er schließlich, »es hat den Anschein, als ließe ich mich selbst nicht in meine Karten gucken. Trotzdem«, setzte er nach kurzem Nachdenken hinzu, »kann ich das verstehen. Ich würde mir selber nicht weiter trauen als eine Ratte spucken kann.«

Einen Augenblick darauf löste sich der letzte Planet aus dem Katalogangebot unter ihnen auf, und die reale Welt nahm wieder Gestalt an.

Sie saßen in einem feudalen Wartezimmer, das mit Glastischen und Preisplaketten für künstlerische Formgebung vollgestopft war.

Ein hochgewachsener Magratheaner stand vor ihnen.

»Die Mäuse möchten euch jetzt sprechen«, sagte er.

»So, nun weißt du Bescheid«, sagte Slartibartfaß, während er den kraftlosen und mechanischen Versuch unternahm, ein biß-chen von dem fürchterlichen Durcheinander in seinem Atelier wegzuräumen. Er nahm von einem Stapel ein Blatt Papier, aber dann hatte er keine Idee, wo er es sonst hinlegen könnte, also legte er es wieder auf den Stapel zurück, der promt umkippte. »Deep Thought hat die Erde entworfen, wir haben sie gebaut, und du hast auf ihr gelebt.«

»Und die Vogonen kamen und zerstörten sie, fünf Minuten, bevor das Programm abgewickelt war«, fügte Arthur nicht ohne Bitterkeit hinzu.

»Ja«, sagte der alte Mann, machte eine Pause und blickte sich verzagt im Zimmer um. »Zehn Millionen Jahre Planung und Arbeit einfach perdü. Zehn Millionen Jahre, Erdling . . . kannst du dir so viel Zeit überhaupt vorstellen? Eine galaktische Zivilisation könnte sich in dieser Zeit fünfmal hintereinander vom Wurm bis zur Unwahrscheinlichkeitstheorie entwickeln. Einfach futsch.« Wieder machte er eine Pause. »Naja, für dich sind das ja alles böhmische Dörfer«, setzte er hinzu.

»Ach, wissen Sie«, sagte Arthur nachdenklich, »all das erklärt mir vieles. Mein ganzes Leben hatte ich das komische, unerklärliche Gefühl, irgendwas ginge vor in der Welt, irgendwas Gewaltiges, vielleicht sogar Böses, und niemand könne mir sagen, was das sei.«

»Nein«, sagte der Alte, »das ist nur eine ganz normale Paranoia. Die hat jeder im Universum.«

»Jeder?« fragte Arthur. »Na, wenn das jeder hat, vielleicht bedeutet das irgendwas! Vielleicht, daß irgendwo außerhalb des Universums . . .«

»Vielleicht. Wen kümmert's?« sagte Slartibartfaß, ehe Arthur noch weiter in Fahrt kommen konnte. »Vielleicht bin ich zu alt und zu müde«, fuhr er fort, »aber ich glaube halt, daß die Chancen herauszufinden, was wirklich vor sich geht, so lächerlich klein sind, daß man sich bloß sagen kann: Schlag's dir aus dem Sinn und sieh zu, daß du was Nützliches tust. Sieh dir mich an: ich entwerfe Küsten. Für Norwegen habe ich einen Preis gekriegt.«

Er kramte in einem Stapel alter Sachen rum und zog schließlich einen großen Block aus Plexiglas hervor, in den sein Name und eine Karte von Norwegen eingraviert war.

»Was für einen Sinn hat das alles?« sagte er. »Ich habe keinen entdecken können. Mein ganzes Leben habe ich Fjorde gemacht. Kurze Zeit werden sie Mode, und man kriegt einen bedeutenden Preis dafür.«

Achselzuckend drehte er das Ding in seinen Händen herum, dann warf er es achtlos beiseite, aber nicht so achtlos, daß es nicht auf was Weichem gelandet wäre.

»An dieser Ersatz-Erde, die wir gerade bauen, haben sie mir Afrika übertragen, und natürlich mach ich's jetzt mit lauter Fjorden, weil ich sie nun mal mag und so altmodisch bin, daß ich meine, sie verleihen einem Kontinent was herrlich Barockes. Aber man sagt mir, sie sind nicht äquatorial genug. Äquatorial!!«
Er lachte dumpf auf. »Aber was macht's! Die Wissenschaft hat natürlich ein paar erstaunliche Dinge vollbracht, aber ich bin doch lieber jeden Tag glücklich als im Recht.«

»Und sind Sie es denn?«

»Nein. Da liegt ja der Hund begraben.«

»Schade«, sagte Arthur voller Anteilnahme. »Es klang irgendwie nach einem guten Lebensstil.«

Irgendwo an der Wand blinkte eine kleine weiße Lampe auf.

»Komm«, sagte Slartibartfaß, »die Mäuse erwarten dich. Deine Ankunft hier auf dem Planeten hat ziemlich viel Wirbel gemacht. Wie ich höre, wurde sie bereits das drittunwahrscheinlichste Ereignis in der Geschichte des Universums genannt.«

»Was waren denn die andern beiden?«

»Ach, wahrscheinlich bloß Zufälle«, sagte Slartibartfaß gleichgültig. Er öffnete die Tür und wartete, daß Arthur ihm folgte. Arthur blickte sich noch einmal um, sah an sich runter, auf seine verschwitzten und zerknitterten Sachen, in denen er Donnerstag morgen im Matsch gelegen hatte.

»Mit meinem Lebensstil scheine ich ja wirklich enorme Schwierigkeiten zu haben«, murmelte er.

»Wie bitte?« fragte der alte Mann sanft.

»Ach nichts«, sagte Arthur. »War bloß 'n Witz.«

31

Es ist natürlich allgemein bekannt, daß unüberlegtes Reden tödlich sein kann, aber das volle Ausmaß dieses Problems wird nicht immer erkannt.

Als Arthur zum Beispiel »Mit meinem Lebensstil scheine ich ja wirklich enorme Schwierigkeiten zu haben« sagte, öffnete sich genau im selben Augenblick ein Wurmloch im Gefüge des Raum-Zeit-Kontinuums und trug diese Worte weit, weit zurück durch die Zeit und durch fast unendliche Räume zu einer fernen Galaxis, in der sich sonderbare kriegerische Wesen kurz vor einer grauenhaften interstellaren Schlacht gegenüberstanden.

Die beiden gegnerischen Anführer kamen ein letztes Mal zusammen.

Eine fürchterliche Stille senkte sich über den Konferenztisch, als der Befehlshaber der Vl'hurgs, prächtig anzuschauen in seinen mit schwarzen Edelsteinen besetzten Kampfshorts, dem Anführer der G'Gugvuntts fest ins Auge sah, der ihm gegenüber in einer grünen, süßduftenden Wolke hockte. Und mit der Macht von einer Million rasanter, grausam waffenstarrender Kampf-Raumschiffe hinter sich, die nur darauf warteten, auf ein einziges Kommandowort elektrischen Tod zu säen, forderte er diese niederträchtige Kreatur auf, augenblicklich zurückzunehmen, was er über seine Mutter gesagt hatte.

Diese Kreatur räkelte sich in ihrem widerlichen, dampfenden Brodem, und genau in diesem Augenblick schwebten die Worte *Mit meinem Lebensstil scheine ich ja wirklich enorme Schwierigkeiten zu haben* über den Konferenztisch.

Unglücklicherweise war das in der Vl'hurg-Sprache die entsetzlichste Beleidigung, die man sich vorstellen kann, und darauf gab's als Antwort den fürchterlichsten, jahrhundertelangen Krieg.

Als sie im Verlauf von mehreren tausend Jahren ihre Galaxis so ziemlich dezimiert hatten, kamen sie natürlich schließlich dahinter, daß das Ganze ein gräßliches Versehen war. Die gegnerischen Kampfflotten legten ihre wenigen noch verbliebenen Differenzen bei und formierten sich zu einem gemeinsamen Angriff auf unsere Galaxis, die nun eindeutig als die Quelle der beleidigenden Bemerkung feststand.

Tausende von weiteren Jahren zogen die mächtigen Raumschiffe durch die leeren Einöden des Alls und senkten sich schließlich kreischend auf den erstbesten Planeten herunter – der zufällig die Erde war –, wo die gesamte Kampfflotte aufgrund einer schrecklichen Fehlberechnung der wirklichen Größenverhältnisse per Zufall von einem kleinen Hündchen verschluckt wurde.

Diejenigen, die sich mit den komplizierten Wechselwirkungen zwischen Ursache und Wirkung in der Geschichte des Universums befassen, sagen, daß sich solche Dinge ständig ereignen, daß sie aber machtlos dagegen seien.

»So ist halt das Leben«, sagen sie.

In einer kurzen Fahrt trug das Luftauto Arthur und den alten Magratheaner vor ein Portal. Sie stiegen aus und betraten ein Wartezimmer, das mit Glastischen und Plexiglas-Diplomen vollgestopft war.

Fast augenblicklich leuchtete über der Tür an der anderen Seite des Zimmers eine Lampe auf, und sie traten ein.

»Arthur! Du bist gerettet!« rief eine Stimme.

»Ach wirklich?« sagte Arthur ziemlich verblüfft. »Na prima.«

Das Licht war recht gedämpft, und es dauerte ein paar Augenblicke, bis er Ford, Trillian und Zaphod erkannte, die um einen großen Tisch saßen, der mit exotischen Gerichten, fremdartigem Zuckerwerk und bizarren Früchten wunderschön gedeckt war. Sie futterten wie Scheunendrescher.

»Was war denn mit euch?« fragte Arthur.

»Ach«, sagte Zaphod und machte sich über ein knochiges

Stück gegrilltes Fleisch her, »unsere Gastgeber hier haben uns nur ein bißchen mit Gas betäubt und um den Verstand gebracht und sich überhaupt sehr eigenartig benommen und uns jetzt zur Versöhnung zu dieser fabelhaften Völlerei eingeladen. Hier«, sagte er und zog einen übelriechenden Brocken Fleisch aus einer Schüssel, »probier doch mal Nashornrippchen à la Wega. Köstlich, wenn man sowas zufällig mag.«

»Gastgeber?« fragte Arthur. »Was denn für Gastgeber? Ich sehe überhaupt keine . . .«

Eine piepsige Stimme sagte: »Willkommen! Und guten Appetit, Erdling.«

Arthur guckte sich um und schrie plötzlich auf.

»Huch!« rief er. »Da sitzen ja Mäuse auf dem Tisch!«

Es trat ein verlegenes Schweigen ein, und alle sahen Arthur mißbilligend an.

Er konnte seinen Blick nicht von den zwei weißen Mäusen losreißen, die in sowas Ähnlichem wie Whiskygläsern saßen, die auf dem Tisch standen. Er bemerkte die Stille und starrte alle verwundert der Reihe nach an.

»Oh«, sagte er, und ihm ging plötzlich ein Licht auf. »Entschuldigung, ich war einfach nicht darauf gefaßt, daß . . .«

»Darf ich vorstellen«, sagte Trillian, »Arthur, das ist Benjymaus.«

»Hi«, sagte die eine von den beiden Mäusen. Ihre Schnurrbarthaare strichen im Inneren ihres whiskyglasähnlichen Gefährts auf sowas wie einer Sensortaste entlang, und das Ding bewegte sich ein Stückchen auf ihn zu.

»Und das hier ist Frankiemaus.«

Die andere Maus sagte: »Sehr angenehm«, und machte dasselbe wie die erste.

Arthur staunte.

»Aber sind das nicht . . .?!«

»Ja«, sagte Trillian, »das sind die Mäuse, die ich von der Erde mitgebracht habe.«

Sie sah ihm fest in die Augen, und Arthur meinte, er hätte die

Andeutung eines resignierten Achselzuckens bemerkt.

»Würdest du mir eben mal die Schüssel mit dem arkturanischen Mega-Eselspüree reichen?« sagte sie.

Slartibartfaß hüstelte höflich.

»Äh, Pardon . . .«, sagte er.

»Ja, vielen Dank, Slartibartfaß«, sagte Benjymaus scharf, »du kannst jetzt gehen.«

»Was? Oh . . . äh, ja natürlich«, sagte der alte Mann leicht verblüfft, »ich gehe dann also und entwerfe noch ein paar Fjorde.«

»Ach, das wird wohl nicht mehr nötig sein«, sagte Frankiemaus. »Es sieht fast so aus, als brauchten wir die neue Erde nun doch nicht mehr.« Er rollte seine kleinen rosa Augen. »Jetzt, wo wir einen Bewohner dieses Planeten gefunden haben, der noch Sekunden vor seiner Zerstörung dort war.«

»Was?« rief Slartibartfaß erschrocken aus. »Das kann doch nicht Ihr Ernst sein! Ich habe tausend Gletscher fertig, die bloß drauf warten, sich über Afrika hinwegzuwälzen!«

»Na, vielleicht machst du da schnell noch einen kleinen Skiurlaub, ehe du sie wieder auseinandernimmst«, sagte Frankie bissig.

»Skiurlaub?« rief der alte Mann. »Diese Gletscher sind Kunstwerke! Elegant modellierte Konturen, hehre Eisgipfel, tiefe, majestätische Schluchten. Es wäre Gotteslästerung, auf so hoher Kunst Ski zu laufen!«

»Danke, Slartibartfaß«, sagte Benjy bestimmt, »das wäre alles.«

»Ja, Sir«, sagte der Alte kühl, »vielen Dank. Tja also, auf Wiedersehen, Erdling«, sagte er zu Arthur, »ich hoffe, du schaffst es noch mit deinem Lebensstil.«

Er nickte der übrigen Gesellschaft kurz zu, drehte sich um und ging aus dem Zimmer.

Arthur starrte ihm nach und wußte nicht, was er sagen sollte.

»Nun kommen wir«, sagte Benjymaus, »auf das Geschäft.«

Ford und Zaphod stießen mit ihren Gläsern an.

»Auf das Geschäft!« sagten sie.

»Wie bitte?« fragte Benjymaus.

Ford blickte sich um.

»Pardon, ich dachte, Sie bringen einen Toast aus«, sagte er.

Die beiden Mäuse trippelten ungeduldig in ihren gläsernen Fahrzeugen rum. Endlich beruhigten sie sich wieder, und Benjy kam auf Arthur zugefahren.

»Also, Erdenwesen«, wandte er sich an ihn, »es sieht folgendermaßen aus. Wir haben, wie du weißt, deinen Planeten die letzten zehn Millionen Jahre mehr oder weniger regiert, um hinter diese verdammte Sache mit der Letzten Frage zu kommen.«

»Warum?« fragte Arthur scharf.

»Nein – an die haben wir auch schon gedacht«, sagte Frankie, der Benjy ins Wort fiel, »aber die paßt nicht zur Antwort. *Warum? – Zweiundvierzig* . . . Du siehst, das haut nicht hin.«

»Nein«, sagte Arthur, »ich wollte sagen, warum haben Sie das alles gemacht?«

»Ach, jetzt verstehe ich«, sagte Frankie. »Tja, um ganz ehrlich zu sein, letztlich wohl einfach aus Gewohnheit. Und das ist mehr oder weniger der Kern der Sache – uns hängt die ganze Geschichte meterlang zum Hals raus, und die Aussicht, nur wegen dieser total von der Muffe gepufften Vogonen nochmal ganz von vorn beginnen zu müssen, jagt mich, offen gesagt, die Wände hoch. Verstehst du, was ich meine? Es war das reinste Glück, daß Benjy und ich mit unserem Spezialauftrag schon fertig waren und den Planeten schon etwas eher zu einem kleinen Urlaub verlassen hatten. Seitdem haben wir uns durch die gütige Vermittlung deiner Freunde hierher nach Magrathea zurückgetrixt.«

»Magrathea ist ein Zugang zurück in unsere Dimension«, warf Benjy ein.

»Inzwischen«, fuhr sein mausiger Kollege fort, »sind uns als ganz dicke Fische die Talkshow und eine Vortragsreihe im 5D-Fernsehen unserer Heimatdimension angeboten worden, und wir haben große Lust, da einzusteigen.«

»Täte ich auch, was, Ford?« quatschte Zaphod dazwischen.

»Klar«, sagte Ford, »sofort und auf der Stelle.«

Arthur sah die beiden an und fragte sich, wohin das alles noch führen sollte.

»Aber wir brauchen natürlich ein *Ergebnis*, verstehst du?« sagte Frankie, »ich meine, im Grunde benötigen wir halt immer noch die Letzte Frage in der einen oder anderen Form.«

Zaphod beugte sich zu Arthur vor.

»Verstehst du«, sagte er, »wenn sie da nun im Studio sitzen, ganz entspannt aus der Wäsche gucken und, nicht wahr, ganz beiläufig erwähnen, daß sie zufällig die Antwort auf die Große Frage nach dem Leben, dem Universum und allem haben, und dann schließlich zugeben müssen, daß sie ›zweiundvierzig‹ lautet, dann dürfte die Show ziemlich schnell vorbei sein. Keine Fortsetzung, verstehst du?«

»Wir müssen etwas haben, was gut *klingt*«, sagte Benjy.

»Etwas, was gut *klingt*?« rief Arthur. »Eine Letzte Frage, die gut *klingt*? Wenn sie von ein paar Mäusen gestellt wird?«

Die Mäuse schnappten hörbar ein.

»Also, ich meine, Idealismus – schön und gut, die Würde von Forschung und Wissenschaft – schön und gut, die Suche nach der Wahrheit in jeglicher Gestalt – schön und gut! Aber irgendwann – tut mir leid! – kommt man allmählich zu der Überzeugung, daß die reine Wahrheit, wenn es überhaupt eine gibt, so lautet: Die ganze vieldimensionale Unendlichkeit des Universums wird aller Wahrscheinlichkeit von einem Rudel Irrer regiert. Und wenn man sich überlegt – was ist besser: nochmal zehn Millionen Jahre damit zubringen, das rauszukriegen, oder sich einfach das Geld schnappen und abhauen, dann wäre für mich zum Beispiel alles klar«, sagte Frankie.

»Aber . . .«, fing Arthur bekümmert an.

»Mann, kapier doch endlich, Erdling«, fuhr Zaphod dazwischen, »du bist ein Produkt der letzten Generation der Computermatrix, stimmt's? Und du warst bis zu dem Augenblick dort, als dein Planet Saures kriegte, nich?«

»Äh . . .«

»Also war dein Gehirn ein organischer Bestandteil des vorletzten Stadiums des Computerprogramms«, sagte Ford, für alle verständlich, wie er meinte.

»Stimmt's?« fragte Zaphod.

»Naja«, sagte Arthur zögernd. Er hatte sich eigentlich nie als organischer Bestandteil von irgendwas gefühlt. Das war ja auch immer eines seiner Probleme.

»Mit anderen Worten«, sagte Benjy und steuerte mit seinem merkwürdigen kleinen Fahrzeug auf Arthur zu, »es besteht die wohlbegründete Aussicht, daß die Struktur des ganzen Rätsels in die Struktur deines Gehirns hineinchiffriert worden ist – deswegen wollen wir es dir abkaufen.«

»Was? Das Geheimnis?« fragte Arthur.

»Ja«, sagten Ford und Trillian.

»Für 'ne Riesensumme«, sagte Zaphod.

»Aber nicht doch«, sagte Frankie, »das Gehirn wollen wir dir abkaufen.«

»Was?«

»Wer würde es schon vermissen?« setzte Benjy hinzu.

»Ich dachte, ihr hättet gesagt, ihr könnt sein Gehirn elektronisch lesen«, protestierte Ford.

»Ja, schon«, sagte Frankie, »aber dazu müssen wir's erst rausholen. Man muß es präparieren.«

»Und behandeln«, sagte Benjy.

»Und in Scheiben schneiden.«

»Nein, vielen Dank«, rief Arthur, kippte seinen Stuhl um und wich entsetzt vom Tisch zurück.

»Man könnte es jederzeit ersetzen«, sagte Benjy einlenkend, »falls du's für so wichtig hältst.«

»Ja, durch ein Elektronengehirn«, sagte Frankie, »ein ganz simples würde ja genügen.«

»Ein ganz simples!?« beschwerte sich Arthur.

»Na klar«, sagte Zaphod und setzte plötzlich ein ganz übles Grinsen auf, »man brauchte es nur mit *Was?* und *Verstehe ich nicht!* und *Wo gibt's hier Tee?* zu programmieren – niemand würde den Unterschied bemerken!«

»Was?« schrie Arthur und wich noch weiter zurück.

»Versteht ihr, was ich meine?« sagte Zaphod und heulte im gleichen Moment wegen irgendwas, das Trillian mit ihm gemacht hatte, vor Schmerz auf.

»*Ich* würde aber den Unterschied merken«, sagte Arthur.

»Nein, das würdest du nicht«, sagte Frankiemaus, »man würde dich entsprechend programmieren.«

Ford nahm Kurs auf die Tür.

»Na denn, tut mir leid, geliebte Mausefreunde«, sagte er, »ich glaube, so kommen wir nicht ins Geschäft.«

»Ich glaube eher, wir kommen so oder so ins Geschäft«, sagten die Mäuse im Chor, und aller Charme wich im selben Augenblick aus ihren piepsigen kleinen Stimmen. Mit einem kaum hörbaren jaulenden Kreischen erhoben sich ihre gläsernen Vehikel vom Tisch und schwebten durch die Luft auf Arthur zu, der weiter nach hinten in eine etwas unübersichtliche Ecke stolperte, absolut außerstande, etwas zu unternehmen oder an etwas zu denken.

Trillian packte ihn verzweifelt am Arm und zerrte ihn in Richtung Tür, die Ford und Zaphod mit allen Kräften zu öffnen versuchten, aber Arthur war nicht von der Stelle zu bringen – er war wie hypnotisiert von den Air-Force-Nagern, die auf ihn losstürzten.

Sie schrie ihn an, aber er glotzte bloß wie gebannt.

Mit einem letzten Ruck bekamen Ford und Zaphod die Tür auf. Draußen stand eine kleine Rotte ziemlich häßlicher Leute, die, so konnten sie bloß vermuten, der unterste Pöbel von Magrathea war. Nicht nur sie waren häßlich, auch die medizinischen Geräte, die sie bei sich hatten, waren alles andere als schön. Sie griffen an.

So standen also die Aktien – Arthur war drauf und dran, den Kopf aufgemeißelt zu kriegen, Trillian war außerstande, ihm zu helfen, und über Ford und Zaphod fiel jeden Augenblick ein Trupp

Rowdies her, die viel stärker und besser bewaffnet waren als sie.

Alles in allem war es also ein ungeheurer Glücksfall, daß genau in dem Augenblick alle Sirenen des Planeten ohrenbetäubend zu heulen anfingen.

32

»*Achtung! Achtung!*«, schmetterten die Alarmlautsprecher überall in Magrathea. »*Feindliches Raumschiff auf unserem Planeten gelandet. Bewaffnete Eindringlinge in Sektor 8A. Verteidigungspositionen einnehmen! Verteidigungspositionen einnehmen!*«

Die beiden Mäuse schnupperten irritiert an den Scherben ihrer gläsernen Luftschiffe, die auf dem Boden lagen.

»Verdammt«, murmelte Frankiemaus, »dieser ganze Trabbel bloß wegen zwei Pfund Erdlingshirn.« Er trippelte hin und her, seine rosa Äuglein blitzten, und sein feines weißes Fell sträubte sich elektrisiert.

»Das einzige, was wir jetzt noch machen können«, sagte Benjy, der dahockte und gedankenverloren an seinen Schnurrbarthaaren zwirbelte, »das ist, eine Frage aus dem Zylinder zu zaubern, die plausibel klingt.«

»Schwierig«, sagte Frankie. Er dachte nach. »Wie wäre es mit *Was ist gelb und sehr gefährlich?*«

Benjy grübelte einen Augenblick darüber nach.

»Nein, die ist nicht gut«, sagte er. »Paßt nicht zur Antwort.«

Für ein paar Sekunden versanken sie wieder in Schweigen.

»Okay«, sagte Benjy. »*Wieviel ist sechs mal sieben?*«

»Neinnein, das ist zu billig, zu konkret«, sagte Frankie, »das würde die Wetten abschlaffen lassen.«

Wieder dachten sie nach.

Dann sagte Frankie: »Was hältst du davon? *Wieviele Straßen muß der Mensch entlangspazieren?«*

»Ah!« sagte Benjy. »Ah ja, das hört sich recht vielversprechend an!« Er ließ sich den Satz ein paarmal auf der Zunge zergehen. »Ja«, sagte er schließlich, »ganz ausgezeichnet! Hört sich sehr bedeutend an, ohne daß es uns an irgendeine bestimmte Bedeutung bindet. *Wieviele Straßen muß der Mensch entlangspazieren? – Zweiundvierzig.* Ausgezeichnet, ausgezeichnet, damit legen wir sie aufs Kreuz. Frankiebaby, wir sind gemachte Leute!«

Sie vollführten einen wilden Freudentanz.

Neben ihnen lagen mehrere ziemlich häßliche Leute am Boden, die mit ein paar schweren Preisplaketten für künsterlische Formgebung eins auf die Nuß bekommen hatten.

Eine halbe Meile entfernt stampften vier Gestalten einen Korridor entlang und suchten einen Ausgang. Sie landeten in einer weiten, lichten Computerhalle. Gehetzt sahen sie sich um.

»Wo geht's lang, was meinst du, Zaphod?« sagte Ford.

»So auf die Schnelle würde ich sagen, hier lang«, sagte Zaphod, der nach rechts rannte, zwischen einem Computer und der Wand lang. Als die andern hinter ihm herwollten, brachte ihn ein Energiestrahl aus einer Kill-O-Zap, der Zentimeter vor ihm durch die Luft krachte und ein kleines Stück aus der Wand heraussengte, urplötzlich zum Stehen.

Eine Megaphonstimme schrie: »Okay, Beeblebrox, keinen Schritt weiter. Du sitzt in der Falle.«

»Bullen!« zischte Zaphod und machte gebückt kehrt.

»Kannst *du* nicht mal schnell sagen, wo's langgeht, Ford?«

»Okay, hier lang«, sagte Ford, und die vier rannten in einem Gang zwischen zwei Computerreihen weiter.

Am Ende des Ganges tauchte eine schwerbewaffnete Gestalt im Raumanzug auf, die mit einer von diesen bösartigen Kill-O-Zap-Pistolen rumfuchtelte.

»Wir haben keine Lust, dich zu erschießen, Beeblebrox!« brüllte die Gestalt.

»Hör ich gerne!« brüllte Zaphod zurück und tauchte in eine

breite Lücke zwischen zwei Datenspeichern.

Die anderen hechteten hinter ihm her.

»Sie sind zu zweit«, sagte Trillian. »Wir sitzen in der Tinte.«

Sie quetschten sich zwischen einer riesigen Computer-Datenbank und der Wand in die Ecke.

Sie warteten mit angehaltenem Atem.

Plötzlich zerfetzten Energiestrahlenbündel die Luft, als beide Polizisten gleichzeitig das Feuer auf sie eröffneten.

»Da hast du's, sie schießen doch auf uns«, sagte Arthur, der sich zu einer kleinen Kugel zusammengekauert hatte, »ich dachte, sie hätten gesagt, das wollten sie nicht tun.«

»Ja, ich meine auch, das hätten sie gesagt«, stimmte Ford zu.

Zaphod streckte einen gefährlichen Moment lang einen seiner Köpfe hoch.

»He«, sagte er, »ich dachte, ihr hättet gesagt, ihr wolltet uns nicht erschießen!« Er duckte sich sofort wieder.

Sie warteten.

Nach einer Weile antwortete eine Stimme: »Man hat's nicht leicht als Polizist!«

»Was hat er gesagt?« flüsterte Ford verwundert.

»Er hat gesagt, er hätte's nicht leicht als Polizist.«

»Na, das ist doch wohl sein Problem, oder?«

»Möchte ich eigentlich auch sagen.«

Ford brüllte los: »He, hört mal zu! Ich glaube, wir haben schon selber genug Probleme, wenn ihr auf uns schießt. Aber wenn ihr es unterlassen könntet, uns auch noch *eure* Probleme aufzuhalsen, kämen wir, glaub ich, alle leichter miteinander aus!«

Wieder eine Pause, dann von neuem das Megaphon.

»Nun hör mir mal gut zu, Herzchen«, sagte die Megaphonstimme, »du hast es hier nicht mit irgendwelchen dämlichen, schießwütigen Idioten mit'm Husch unterm Pony und kleinen Schweinsaugen und einem Wortschatz von drei Wörtern zu tun. Wir sind ein paar intelligente, aufgeschlossene Jungs, die euch wahrscheinlich gefallen würden, wenn wir euch mal privat übern Weg liefen.

Ich flitz doch nicht einfach in der Gegend rum und schieße ohne Grund auf Leute, um mich damit in irgendwelchen miesen Raum-patrouille-Kneipen dickezutun! Ich flitz in der Gegend rum und schieße ohne Grund auf Leute, um mich hinterher stundenlang bei meiner Freundin drüber auszuheulen!«

»Und ich dichte Romane!« fiel ihm der andere Polizist ins Wort. »Wenn auch noch keiner erschienen ist. Ich warne euch also, ich bin *miiiies* gelaunt!«

Ford wären beinahe die Augen aus dem Kopf gefallen. »Wer sind denn bitte diese Kerle?« fragte er.

»Keine Ahnung«, sagte Zaphod. »Ich glaube, mir ist es lieber, wenn sie schießen.«

»Also, ergebt ihr euch freiwillig«, schrie wieder einer von den beiden Bullen, »oder wollt ihr, daß wir euch da raussprengen?«

»Was wär dir denn lieber?« schrie Ford zurück.

Eine Millisekunde später fing die Luft um sie rum wieder zu braten an, als aus den Kill-O-Zaps eine Strahlengarbe nach der anderen in den Computerspeicher vor ihnen zischte.

Der Strahlenhagel ging noch ein paar Sekunden in der gleichen wahnsinnigen Stärke weiter.

Als er aufhörte, war es ein paar Sekunden fast ganz still, wäh-rend die Echos verhallten.

»Seid ihr noch da?« schrie einer der Polizisten.

»Ja«, riefen sie zurück.

»Wir haben das eben gar nicht gern getan!« schrie der andere Polizist.

»Das haben wir gemerkt!« rief Ford.

»Hör mal zu, Beeblebrox, und ich rate dir, sperr die Ohren gut auf!«

»Warum?« schrie Zaphod zurück.

»Weil«, schrie der Polizist, »es sich um was sehr Intelligentes und äußerst Interessantes und Humanes handelt! Also – entwe-der ihr ergebt euch jetzt alle auf der Stelle, und wir verdreschen euch ein bißchen, natürlich nicht sehr fest, denn wir sind absolut gegen jede nutzlose Gewalt. Oder wir sprengen den ganzen Planeten in die Luft, und vielleicht einen oder zwei andere, die uns auf dem Weg hierher aufgefallen sind, gleich noch mit dazu!«

»Aber das ist doch Wahnsinn!« rief Trillian. »Das könnt ihr doch nicht machen!«

»Oh doch, das können wir«, schrie der Polizist, »oder etwa nicht?« fragte er seinen Kollegen.

»Oh doch, das müssen wir sogar, ganz ohne Frage«, rief der andere Polizist zurück.

»Aber wieso denn?« fragte Trillian.

»Weil man eben bestimmte Dinge tun muß, auch wenn man ein aufgeklärter, liberaler Polizist ist, der über Feingefühl und so weiter verfügt!«

»Ich glaub diesen Typen einfach nicht«, murmelte Ford und schüttelte den Kopf.

Der eine Polizist rief dem anderen zu: »Sollen wir nicht noch ein bißchen auf sie schießen?«

»Klar, warum nicht?«

Wieder ließen sie ihr elektrisches Sperrfeuer auf sie los.

Die Hitze und der Lärm waren einfach ungeheuerlich. Die Computer-Datenbank löste sich langsam in ihre Bestandteile auf. Die Vorderseite war fast ganz weggeschmolzen, und dickflüssige Bäche aus geschmolzenem Metall suchten sich ihren Weg dorthin, wo unsere vier Freunde hockten. Die verkrochen sich noch weiter nach hinten und warteten auf das Ende.

33

Aber das Ende kam nicht, zumindest noch nicht.

Ganz plötzlich hörte das Schießen auf, und in der nachfolgenden Stille waren nur noch ein paar unterdrückte Gluckser und dumpfe Aufschläge zu hören.

Die vier starrten sich an.

»Was ist passiert?« fragte Arthur.

»Sie haben aufgehört«, sagte Zaphod achselzuckend.

»Wieso bloß?«

»Keine Ahnung, willst du hingehen und sie fragen?«

»Nein.«

Sie warteten.

»Hallo?« rief Ford.

Keine Antwort.

»Das ist ja komisch.«

»Vielleicht ist das eine Falle.«

»So klug sind die nicht.«

»Was hat da so gebumst?«

»Keine Ahnung.«

Sie warteten noch ein bißchen.

»Okay«, sagte Ford, »ich geh mal nachsehen.«

Er sah von einem zum anderen.

»Sagt denn keiner: *Nein, das kannst du doch unmöglich machen, laß mich lieber gehen?*«

Alle schüttelten die Köpfe.

»Na schön«, sagte er und stand auf.

Einen Augenblick lang passierte gar nichts.

Dann, ungefähr nach einer Sekunde oder so, passierte immer noch nichts. Ford spähte durch den dicken Qualm, der aus dem brennenden Computer quoll.

Vorsichtig trat er aus der Deckung.

Noch immer passierte nichts.

Zwanzig Meter vor sich konnte er durch den Rauch vage die Gestalt des einen Polizisten im Raumanzug erkennen. Er lag zusammengesunken auf dem Boden. Zwanzig Meter in der entgegengesetzten Richtung lag der zweite. Sonst war weit und breit niemand zu erblicken.

Das kam Ford äußerst merkwürdig vor.

Langsam und gespannt ging er auf den ersten zu. Der Mann lag beruhigend still da, während er sich ihm näherte, und er lag auch immer noch beruhigend still da, als er bei ihm angekommen war und seinen Fuß auf die Kill-O-Zap-Pistole setzte, die von seinen schlaffen Fingern baumelte.

Er bückte sich und hob sie auf.

Der Polizist wehrte sich nicht, er war eindeutig tot.

Ein rascher Blick zeigte ihm, daß der Mann von Blagulon Kappa kam – er gehörte einer methanabhängigen Bioform an und war zum Überleben in der dünnen Sauerstoffatmosphäre Magratheas auf seinen Raumanzug angewiesen.

Der winzige Computer des Versorgungssystems in seinem Rucksack schien ganz unerwartet explodiert zu sein.

Ford betrachtete sich ihn erstaunt von allen Seiten. Diese Miniaturcomputer wurden normalerweise vom Hauptcomputer im Raumschiff gesteuert, mit dem sie über ein Sub-Etha direkt verbunden waren. So ein System war in allen Situationen pannensicher, es sei denn, es gab eine totale Rückkopplung, wovon man aber noch nie was gehört hatte.

Er flitzte rüber zu dem anderen am Boden liegenden Mann und entdeckte, daß ihm genau dasselbe Unvorstellbare zugestoßen war, wahrscheinlich genau zur gleichen Zeit.

Er rief die anderen, die genauso verblüfft waren wie er, nur nicht so neugierig.

»Bloß schnell raus hier«, sagte Zaphod. »Falls es das hier gibt, wonach ich angeblich suche – ich will's nicht haben.« Er schnappte sich die zweite Kill-O-Zap, streckte damit einen absolut harmlosen Rechencomputer nieder und eilte, gefolgt von den anderen, hinaus auf den Korridor. Um ein Haar hätte er gleich auch noch ein Luftauto aus dem Weg geräumt, das ein paar Meter weiter auf sie wartete.

Das Luftauto war leer, aber Arthur erkannte es als das von Slartibartfaß wieder. An einer Ecke des kümmerlichen Armaturenbretts klemmte ein Zettel von ihm. Darauf war ein Pfeil gemalt, der auf einen der Schalter zeigte.

Unter dem Pfeil stand: *Dieser Knopf hier ist wahrscheinlich der empfehlenswerteste.*

34

Das Luftauto schoß sie mit einer Geschwindigkeit von über 17 R durch die Stahltunnel raus auf die entsetzliche Oberfläche des Planeten, der im Augenblick schon wieder von diesem trostlosen Morgenzwielicht beschienen wurde. Ein widerliches, graues Licht gefror über dem Land.

R ist eine Geschwindigkeitseinheit, die sich aus der vernünftigen Reisegeschwindigkeit errechnet, die der Gesundheit und dem geistigen Wohlbefinden zuträglich ist und den Reisenden nicht mehr als sagen wir mal fünf Minuten zu spät kommen läßt. Es handelt sich also eindeutig um eine je nach den Umständen fast beliebig veränderliche Zahl, da die ersten beiden Faktoren sich nicht nur mit der Geschwindigkeit als Absolutum verändern, sondern auch mit der Erkenntnis des dritten Faktors. Wenn man hierbei nicht mit äußerster Gelassenheit vorgeht, kann diese Gleichung zu erheblichem Streß, zu Magengeschwüren, ja zum Tode führen.

17 R ist keine bestimmte Geschwindigkeit, aber sie ist auf alle Fälle viel zu hoch.

Das Luftauto raste also mit 17 R und schneller durch die Luft, setzte unsere Freunde neben der »Herz aus Gold« ab, die starr wie ein gebleichter Knochen auf dem gefrorenen Boden lag, und sauste Hals über Kopf wieder zurück in die Richtung, aus der es eben gekommen war – wahrscheinlich wegen einer dringenden Privatangelegenheit.

Schlotternd standen die vier da und sahen sich ihr Raumschiff an.

Daneben stand noch eins.

Es war das Polizeiraumschiff aus Blagulon Kappa, eine knollige, haifischförmige Angelegenheit, schiefergrün gespritzt und mit schwarzen Schablonenbuchstaben unterschiedlicher Größe und Feindseligkeit über und über bedeckt. Die Buchstaben klärten jeden, der sich die Mühe machte, sie zu lesen, darüber auf, woher das Raumschiff kam, zu welcher Polizeiabteilung es gehörte und wo die Stromzuführungen anzuschließen waren.

Es wirkte irgendwie ganz unnatürlich dunkel und still, selbst für ein Raumschiff, dessen zweiköpfige Besatzung im Augenblick mehrere Kilometer unter der Oberfläche des Planeten erstickt in einem qualmigen Raum rumlag. Es ist eines von diesen merkwürdigen Dingen, die man unmöglich erklären oder definieren kann, aber man kann es spüren, wenn ein Raumschiff vollkommen tot ist.

Ford spürte es und fand das äußerst rätselhaft – ein Raumschiff und zwei Polizisten waren offenbar ohne erkennbaren Grund gestorben. Seiner Erfahrung nach funktionierte das Universum einfach nicht auf diese Weise.

Auch die anderen drei spürten es, aber die Kälte spürten sie noch mehr, und so beeilten sie sich in einem akuten Anfall von Interesselosigkeit in ihre molligwarme »Herz aus Gold«.

Ford blieb, um sich das blagulonische Raumschiff näher anzusehen. Er wäre fast über eine reglose Stahlgestalt gefallen, die mit dem Gesicht im kalten Staub lag.

»Marvin!« rief er. »Was machst du denn hier?«

»Hab bitte bloß nicht das Gefühl, du müßtest irgendwelche Notiz von mir nehmen«, kam ein dumpfes Gebrumme von unten.

»Wie geht's dir denn, Blechbauch?« sagte Ford.

»Ich bin sehr deprimiert.«

»Was ist denn los?«

»Was nicht angebunden ist«, sagte Marvin.

»Warum«, sagte Ford und kauerte sich bibbernd neben ihn, »liegst du denn mit dem Gesicht im Dreck?«

»So fühlt man sich am allerjämmerlichsten«, sagte Marvin. »Tu bloß nicht so, als wolltest du mit mir reden. Ich weiß, du haßt mich.«

»Nein, das stimmt nicht.«

»Doch, du haßt mich, jeder tut das. So ist das Universum konstruiert. Ich brauche nur irgend jemanden anzusprechen, und schon haßt er mich. Selbst Roboter hassen mich. Wenn du mich einfach übersiehst, mach ich mich gleich dünne.«

Er hievte sich hoch und blickte entschlossen von Ford weg in die andere Richtung.

»Das Raumschiff da hat mich gehaßt«, sagte er niedergeschlagen und zeigte auf das Polizeischiff.

»Das Raumschiff dort?« fragte Ford plötzlich ganz aufgeregt. »Was ist denn mit ihm passiert? Weißt du das?«

»Es haßte mich, weil ich mit ihm gesprochen habe.«

»Du hast mit ihm *gesprochen?*« rief Ford. »Was willst du damit sagen?«

»Ganz einfach. Ich hab mich furchtbar gelangweilt und war entsetzlich deprimiert, darum ging ich rüber und stöpselte mich in seine äußere Computerzuleitung ein. Ich habe lang und breit mit seinem Computer geredet und ihm meine Ansichten über das Universum dargelegt«, sagte Marvin.

»Und was geschah dann?« drängelte Ford.

»Es beging Selbstmord«, sagte Marvin und stakste zurück zur »Herz aus Gold«.

35

Als an diesem Abend die »Herz aus Gold« damit beschäftigt war, ein paar Lichtjahre zwischen sich und den Pferdekopfnebel zu bringen, fläzte sich Zaphod im Kontrollzentrum unter einer kleinen Palme und versuchte, seine Gehirne mit ein paar gehörigen Pangalaktischen Donnergurglern wieder in Form zu schmettern. Ford und Trillian saßen in einer Ecke und redeten über das Leben und die Umstände, die sich daraus ergaben. Und Arthur ging ins Bett, um noch ein bißchen in Fords Reiseführer *Per Anhalter durch die Galaxis* zu schmökern. Da er ja nun mal an diesem Ort leben müsse, argumentierte er, mache er sich am besten gleich dran, etwas darüber zu lernen.

Er stieß auf die folgende Eintragung.

Sie lautete: *»Die Geschichte jeder bedeutenderen galaktischen Zivilisation macht drei klar und deutlich voneinander getrennte Phasen durch – das bare Überleben, die Wissensgier und die letzte Verfeinerung, allgemein auch als die Wie-, Warum- und Wo-Phasen bekannt.*

Die erste Phase zum Beispiel ist durch die Frage gekennzeichnet: Wie kriegen wir was zu essen?, *die zweite durch die Frage:* Warum essen wir?, *und die dritte durch die Frage:* Wo kriegen wir die besten Wiener Schnitzel?«

Er kam nicht weiter, denn die Bordsprechanlage des Raumschiffs trat summend in Aktion.

»Hallo Erdling? Hast du nicht Hunger, Kleiner?« sagte Zaphods Stimme.

»Äh, naja, ich könnte wohl 'n bißchen was vertragen«, sagte Arthur.

»Okay Baby, halt dich fest«, sagte Zaphod. »Wir essen schnell 'n kleines Häppchen – im Restaurant am Ende des Universums.«

David Wiltse

Die Giftschlange

Psycho-Thriller

Ullstein Buch 10422

Religiöser Eifer und eine
bigotte Moral zerstörten einst
das Hirn des jungen Tom-Tom.
Jetzt, 35 Jahre danach, pirscht
Tom-Tom durch New York.
Seine Opfer: schwangere
Frauen. Um so mehr fürchtet
Sandy Block von der New
Yorker Polizei den Killer. Denn
Block ist frisch verheiratet,
und seine Frau erwartet ein
Baby. Und dann faßt der
Polizist einen schrecklichen
Verdacht ...

»Lebte Hitchcock noch, er
würde diesen Roman mit
großem Vergnügen verfilmen.«
New York Times

ein Ullstein Krimi